Ernst J. Kiphard

Wie weit ist ein Kind entwickelt?

Eine Anleitung zur Entwicklungsüberprüfung

Ernst J. Kiphard

Wie weit ist ein Kind entwickelt?

Eine Anleitung zur Überprüfung der Sinnes- und Bewegungsfunktionen

 **verlag modernes lernen - Dortmund**

4., verbesserte Auflage 1980

© 1975 verlag modernes lernen Borgmann KG, Dortmund

Titelfoto: Ralf Mittrowan

Gesamtherstellung: Parzeller & Co., Fulda

ISBN 3-8080-0024-4

Bestell-Nr. 1103

Inhaltsverzeichnis

Vorwort   7

Einleitung   8

A. Praktische Anleitung zur Verwendung der Entwicklungsgitter

1. Feststellung der Sinnes- und Bewegungsentwicklung

1.1.   Das sensomotorische Entwicklungsgitter   9

1.2.   Anleitung zum Gebrauch des Gitters   12

1.3.   Fragebögen für das 1. Lebensjahr   15

1.4.   Fragebögen für das 2. Lebensjahr   27

1.5.   Fragebögen für das 3. Lebensjahr   39

1.6.   Fragebögen für das 4. Lebensjahr   51

2. Feststellung des sozialen Entwicklungsstandes

2.1.   Das psychosoziale Entwicklungsgitter   64

2.2.   Fragebögen zum Sozialentwicklungsgitter   66

B. Theoretische Grundlagen zum Aufbau des Entwicklungsgitters

3. Altersgemäße Entwicklung

3.1.   Was ist Entwicklung?   75

3.2.   Das Kind lernt im Spiel   75

3.3.   Die richtigen Lernangebote   76

3.4.   Zu frühes Üben kann schaden   77

3.5.   Das Gehirn als Computer   78

3.6.   Entwicklung der Körperkontrolle   80

3.7.   Entwicklung des Handgeschicks   82

3.8.   Entwicklung der optischen Wahrnehmung   83

3.9.   Entwicklung der akustischen Wahrnehmung   85

3.10. Entwicklung der Sprache   88

3.11. Soziale Entwicklung   90

4. Gestörte Entwicklung

4.1.   Das rückständige Kind   92

4.2.   Gestörte körpermotorische Entwicklung   93

4.3.   Gestörte handmotorische Entwicklung   96

4.4.   Gestörte optische Entwicklung   97

6

4.5. Gestörte akustische Entwicklung   100

4.6. Gestörte Sprachentwicklung   104

4.7. Gestörte Sozialentwicklung   111

4.8. Frühwarnzeichen für Eltern   113

Anhang

Weiterführende Literatur für Eltern   115

Quellennachweis zur Gitterkonstruktion   115

Hinweise auf weitere Bücher des Autors   117

Stichwortverzeichnis   118

Vorwort

Die vorliegende Arbeit entstand primär nicht aus wissenschaftlichem Anliegen, sondern aus der Notwendigkeit, den Eltern rückständiger und behinderter Kinder echte Hilfe zu geben.

Oft sind sie von den verschiedensten Fachleuten mit Vertröstungen und allgemeinen Beruhigungen hingehalten worden. Die Eltern spüren aber sehr wohl, daß ihr Kind entwicklungsrückständig ist und den Vergleich mit anderen gleichaltrigen Kindern nicht aushält.

Wer kann helfen? Die ärztliche Diagnose, dazu oft in der Fachsprache dargeboten, hilft praktisch nicht weiter. Die Eltern erleben zu oft, daß sie mit der Feststellung: »Für eine konkrete Therapie ist Ihr Kind noch zu jung« zur Tatenlosigkeit verurteilt werden. Sie aber möchten alles daransetzen, ihr Kind weiterzubringen.

Ein gezieltes Trainingsprogramm zur Förderung der rückständigen Bereiche setzt eine genaue Aufzeichnung der kindlichen Fähigkeiten und Schwächen in den einzelnen Sinnes- und Bewegungsfunktionen voraus. Dazu sammelte der Autor dieses Buches im Laufe von Jahren Tausende von Einzeldaten aus verschiedenen wissenschaftlichen Untersuchungen und stellte sie in Form einer gitterartig angelegten Tabelle übersichtlich zusammen.

In diesem sensomotorischen Entwicklungsgitter läßt sich der konkrete Entwicklungsstand des zu untersuchenden Kindes eintragen. Das so gewonnene Entwicklungsprofil ist die diagnostische Ausgangsbasis für ein Trainingsprogramm, in das wir die Eltern einführen. Auf diese Weise machen wir sie zu Mit-Therapeuten, die in der Folgezeit in der Lage sind, die erforderlichen Übungen nach dem Therapieplan durchzuführen. Nicht nur die sichtbaren Entwicklungsfortschritte, die sich manchmal geradezu sprunghaft vollziehen, sondern auch das Gefühl, wirksam an der Förderung und Hilfe für ihre Kinder mitzuwirken, beflügeln die Eltern zur weiteren stetigen Mitarbeit.

Inzwischen hat sich dieses Arbeitsmittel nicht nur in der Klinik, sondern auch in der Ambulanz hervorragend bewährt. So gebe ich der Hoffnung Ausdruck, daß eine intensive und gezielte Förderung mehrfachbehinderter und rückständiger Kinder mit Hilfe dieser Veröffentlichung für viele Familien realisierbar wird.

Hamm, den 20. September 1975

Dr. Helmut Hünnekens
Ltd. Landesmedizinaldir. am Westf. Institut
für Jugendpsychiatrie und Heilpädagogik

Einleitung

Rechtzeitig Störungen erkennen

Heute, im Zeitalter der Massenmedien, sind Eltern häufiger als früher besorgt, ob sich ihr Kind auch altersgemäß entwickelt. Ziel dieses Buches ist es, Wege aufzuzeigen, die es ermöglichen, die kindliche Entwicklung mit relativ einfachen Mitteln zu beurteilen. Damit soll ein Beitrag zur Früherkennung von Entwicklungsstörungen geleistet werden. Eltern, Pädagogen, Psychologen und Ärzte können nun anhand von Fragebögen feststellen, welche Funktionen zurück sind und wo im einzelnen Entwicklungsanregungen gegeben werden müssen.

Praktischer Einsatz

Um dieses Ziel ohne Umschweife erreichen zu können, ist der praktische Teil dem theoretischen vorangestellt worden. Am Anfang steht das Entwicklungsgitter*) selbst. Es gibt Auskunft darüber, was ein Kind in einem bestimmten Alter können muß. Eine Gebrauchsanleitung soll es Eltern und Erziehern ermöglichen, mit diesem »Meßinstrument« richtig umzugehen.
Ein gesonderter Abschnitt befaßt sich mit der Sozialentwicklung, deren wichtigste Daten ebenfalls in Tabellenform zusammengefaßt wurden (Psychosoziales Entwicklungsgitter, Seite 65).

Theoretische Erläuterung

Für den fachlich interessierten Leser, der sich intensiver mit der kindlichen Entwicklung befassen möchte, sind die Ausführungen des zweiten Teils gedacht. Hier werden die Entwicklungsverläufe der verschiedenen körperlichen und geistigen Funktionsbereiche im einzelnen aufgezeigt. Vor allem aber werden immer wieder praxisbezogene Anregungen zur spielerischen und kindgemäßen Entwicklungsförderung vermittelt.

Behinderte Kinder

In einem weiteren Kapitel wird auf die besondere Problematik behinderter Kinder eingegangen. Eltern erfahren hier, auf welche Warnzeichen geachtet werden muß, damit Entwicklungsstörungen so früh wie möglich erkannt werden. Nur dann wird man im Einzelfall gezielte Hilfen geben können.

Entwicklungsgitter als Kontrolle

Bei allen entwicklungsdiagnostischen und -therapeutischen Maßnahmen soll das Entwicklungsgitter zur Kontrolle herangezogen werden. Die darin nach Funktionsbereichen übersichtlich gegliederten Einzeldaten dienen vor allem aber auch als Grundlage für das zu erstellende Therapieprogramm.

Zwar steht eine wissenschaftlich gesicherte Normierung für einen Teil der Altersangaben noch aus. Dennoch vermag das aus langjähriger klinischer Erfahrung heraus entstandene Gitter dem Praktiker höchst wertvolle Orientierungshilfen zu geben. Wenn damit in Zukunft erreicht wird, entwicklungsrückständige Kinder frühzeitig »auszusieben« und auf diese Weise gezielte Förderungsmaßnahmen einzuleiten, so darf das Anliegen dieser Schrift als erfüllt angesehen werden.

*) siehe nach Seite 14

A. Praktische Anleitung zur Verwendung der Entwicklungsgitter

1. Feststellung der Sinnes- und Bewegungsentwicklung

1.1. Das sensomotorische Entwicklungsgitter*)

Um Eltern und Erzieher zu informieren, was ein Kind in welchem Alter können sollte, haben wir eine Entwicklungsskala für die ersten vier Lebensjahre in Gitterform zusammengestellt. Dieses Entwicklungsgitter enthält die gleichen Inhalte wie die Fragebögen (vgl. ab Seite 15). Letztere sind lediglich ausführlicher und in den Anweisungen exakter. Die gitterartig konstruierte Entwicklungstabelle hingegen begnügt sich mit Stichworten. Sie will vor allem einen Überblick über den augenblicklichen Entwicklungsstand eines Kindes geben. Das in fünf senkrechte Spalten unterteilte Entwicklungsgitter umfaßt 240 Einzelaufgaben. Dabei sind in jeder Spalte 48 Entwicklungsschritte vom ersten Lebensmonat bis zum 48. Monat, d. h. bis zum vollendeten vierten Lebensjahr, in steigender Schwierigkeit angeordnet. Die fünf Gitterspalten stehen für fünf Funktionsbereiche:

Spalte A = Sehen und optisch wahrnehmen
Spalte B = Greifen sowie Hand- und Fingergeschick
Spalte C = Fortbewegung und Gesamtkörperkontrolle
Spalte D = Mundgeschick und aktiver Sprachschatz
Spalte E = Hören und akustisch wahrnehmen
(Sprachverständnis).

Spalte A und E messen das, was in den »Computer Hirn« hineinkommt (vgl. »Das Gehirn als Computer«, ab Seite 78). Spalte B, C und D messen das, was vom Gehirn herausgeht. Mit anderen Worten: Die Aufnahme von Umweltinformationen geht hauptsächlich über die »Sinneskanäle« Sehen (A) und Hören (E) vor sich. Zur Informationabgabe dagegen benutzt der Mensch seine »Bewegungskanäle« (B, C, D), indem er greift, sich fortbewegt und spricht (vgl. »Altersgemäße Entwicklung«, ab Seite 75).

Mit jedem der genannten fünf »Kanäle«, die als senkrechte Gitterspalten dargestellt sind, werden nun – je nachdem – Sinnes- oder Bewegungsfunktionen gemessen. Das heißt, es sind jeweils ganz bestimmte Aufgaben oder Leistungen vorgeschrieben, die ein Kind in einem bestimmten Alter vollbringen sollte.

Für jeden Monat ist eine Aufgabe angegeben. In der Spalte A (optische Wahrnehmung) steht beim ersten Lebensmonat zum Beispiel: »Folgt bewegtem Objekt«. In der genauen Erklärung des Fragebogens heißt es dann etwas ausführlicher: »Kann das Kind in Rückenlage den langsamen Bewegungen eines leuchtend roten Spielgegenstandes mit seinen Augen folgen?«

Für jede zu beurteilende Funktion – hier das optische Zielverfolgen – gibt der Fragebogen eine Versuchsanordnung an. Dabei

Marginalia:
Entwicklungsstand

Funktionsbereiche

»Sinneskanäle« und »Bewegungskanäle«

Fragebogen für jedes Lebensalter

---

*) sensomotorisch = die Sinne und Bewegungen betreffend

werden den Sinnen des Kindes ganz bestimmte Reizangebote gemacht, auf die es altersgemäß reagieren soll. In vielen Fällen wissen Eltern bereits aus Erfahrung, wie ihr Kind in bestimmten Situationen reagiert hat, ob es beispielsweise sein Spiegelbild mit den Händen betatscht oder einem wegrollenden Ball nachblickt.

Es kann aber auch sein, daß die Eltern nicht auf Anhieb sagen können, ob ihr Kind diese oder jene Funktion schon beherrscht. In diesen Fällen sollten sie genau nach den Fragebogen-Anweisungen vorgehen. Denn hier können Eltern und Erzieher nachlesen, in welcher Versuchssituation die betreffende Funktion am genauesten zu überprüfen ist.

Beispiel

Nehmen wir als Beispiel die Aufgabe A 18: »Erkennt Person von weitem«. Hier formuliert der Fragebogen die zu prüfende Funktion etwas genauer: »Kann das Kind Mama, Papa oder eine andere ihm vertraute Person aus 10 m Entfernung erkennen?« Die weitere Anweisung zur Durchführung eines Versuchs lautet: »Schauen Sie mit dem Kind aus dem Fenster oder stehen Sie mit ihm vor der Tür, während die vertraute Person sich von weitem nähert. Sie darf sich durch Winken, Hüpfen oder Tanzen bemerkbar machen.«

Erfüllung der Mindestanforderung

Hat ein Kind die betreffende Funktion geschafft, so sprechen wir von einer altersgemäßen Leistung bzw. von einem altersgemäßen Entwicklungsvollzug. Eigentlich müßte man sagen: **noch** altersgemäß, denn im Entwicklungsgitter sind Mindestanforderungen angegeben, nicht also Durchschnittswerte. Anders ausgedrückt: Die Altersangaben orientieren sich an der untersten Grenze der Norm. Somit ist es selbst für Spätentwickler möglich, die dem Gitter zugrunde gelegten Mindestanforderungen zu erbringen.

Bei dem eben erwähnten Aufgabenbeispiel sollten eineinhalbjährige Kinder vertraute Personen schon aus 10 m Entfernung erkennen. A 18 heißt: Hier wird die Fähigkeit zur optischen Wahrnehmung geprüft, und zwar im Alter von 18 Monaten. Das ist sozusagen die allerletzte Möglichkeit, daß ein Kind – wenn es noch als altersgemäß gelten soll – diese Aufgabe löst. Schafft es sie mit 18 Monaten immer noch nicht, so ist sein Entwicklungstempo verlangsamt und man muß an eine Störung denken (vgl. »Die gestörte Entwicklung«, ab Seite 92).

Aufgabenwertung

Damit es keine unterschiedlichen Auffassungen darüber gibt, ob ein Kind die jeweilige Altersaufgabe auch wirklich geschafft hat, werden im Fragebogen die altersgemäßen Reaktionen genau festgelegt. Bei der Aufgabe A 12 (optische Wahrnehmung für 12 Monate) »Findet verdecktes Ding« wird eine einheitliche Wertung durch folgende Hinweise garantiert: »Die Aufgabe gilt als gekonnt, wenn das Kind das Tuch wegzieht, um wieder an den Gegenstand zu gelangen.

Sie gilt als halb gekonnt, wenn das Kind sein Händchen in Richtung des Tuches ausstreckt.

Blickt das Kind lediglich in Richtung des Tuches, zeigt aber keine Greifreaktionen, so gilt dies als nicht gekonnt.«

Die im Gitter angegebenen Funktionen werden nach oben hin schwieriger. In der Fortbewegungsspalte (Spalte C) beispielsweise soll ein Kind im Alter von eineinhalb Jahren Treppen bäuchlings hochkrabbeln können. Mit zwei Jahren soll es so viel Körperbeherrschung erlangt haben, daß es ohne umzufallen einen Fußball wegstoßen kann. Mit zweieinhalb Jahren soll es beidbeinig vom Boden und mit drei Jahren von der Treppenstufe abspringen können.

Ansteigende Schwierigkeit der Aufgaben

Das nach genauem Durchgehen der Fragebögen ausgefüllte Gitter gibt einen recht plastischen Überblick über die erreichten Entwicklungshöhen in den fünf hauptsächlichen Funktionsbereichen. Dies ist für Eltern und Erzieher weit wichtiger als das Errechnen eines auf den Monat genauen Entwicklungsalters. Letzteres wäre schon deshalb nicht möglich, weil das Gitter – wie schon erwähnt – nicht auf Daten der Normalentwicklung, sondern der Spätentwicklung aufbaut.

Wenn eine Leistungsanforderung – beispielsweise in Spalte C »Steht allein, geht allein« – für das Alter von 15 Monaten eingesetzt wurde, so bedeutet das: Zu diesem Zeitpunkt sind 90 Prozent aller Kinder in der Lage, frei zu stehen und zu gehen.

Soweit die Altersangaben im Entwicklungsgitter auf wissenschaftlich-statistisch gesicherten Ergebnissen auf der 90-Prozent-Basis beruhen, sind sie mit einem ✳ gekennzeichnet. Alle anderen Alterszuordnungen wurden aufgrund von Schätzungen vorgenommen.

Wissenschaftlich gesicherte Ergebnisse

In der Praxis wird es aus den angeführten Gründen häufig so sein, daß ein »Normalkind« weit höhere Leistungen erreicht als im Gitter unter seinem Alter angegeben. Die individuelle Spielbreite in der Entwicklung läßt ein Kind unter Umständen eben die eine oder andere Funktion früher bzw. auch später erreichen. Es wird also möglicherweise eine im Gitter weit über seinem Lebensalter eingestufte Leistung schon können, während es in einem anderen Funktionsbereich nur so eben die im Gitter geforderten Leistungen erbringt. Hier spielen Begabung und Übungsanregungen eine Rolle.

Gerade bei Aufgaben des höheren Lebensalters kommt es vor, daß ein Kind sie deshalb nicht löst, weil es keine Übungsgelegenheit hatte. In diesem Fall darf die betreffende Funktion selbstverständlich geübt werden. Verfügt sein Zentralnervensystem über die erforderliche Funktionsreife, so wird das Kind die fehlende Leistung durch Übung schnell aufholen. Hat es diese Funktionsreife jedoch nicht, so nützt auch intensives Üben wenig (vgl. »Zu frühes Üben kann schaden«, ab Seite 77).

Hier unterscheidet sich die Handhabung des Entwicklungsgitters deutlich von der üblichen Testdiagnostik. Beim Test müssen die Aufgaben innerhalb einer Reihe genau vorgeschriebener Versuche und oft auch in einer bestimmten Zeit gelöst werden. Bei der Entwicklungsüberprüfung mit dem Gitter soll hingegen lediglich festgestellt werden, ob das Kind die angegebene Funktion überhaupt erreicht oder irgendwann einmal erreicht hat. Es muß die Aufgabe also nicht jederzeit auf Anforderung, wie das beim Test der Fall ist, leisten.

Alarmzeichen
für Eltern

Die ausschließliche Verwendung von Mindestanforderungen macht das Entwicklungsgitter zu einem vorzüglichen Auslese- und Suchverfahren bei Verdacht auf Entwicklungsverzögerungen und -störungen. Erreicht ein Kind nicht die für sein Alter angegebenen Entwicklungsvollzüge, so ist dies ein Alarmzeichen, das Eltern und Erzieher hellhörig machen sollte.

Hält man die von dem betreffenden Kind in den einzelnen Spalten erreichten Entwicklungshöhen gegeneinander, so macht dies auch dem Laien deutlich, in welchem Funktionsbereich Störungen anzunehmen sind, weil das Entwicklungstempo hier offensichtlich verlangsamt ist.

So ist das Entwicklungsgitter keinesfalls ein »Test« für den Fachmann, sondern ein einfaches, in der Praxis erprobtes Arbeitsmittel für jedermann — besonders natürlich für die Eltern selbst. Darin ist letztlich auch sein Anliegen begründet: Es will Entwicklungsrückstände aufspüren, damit rechtzeitig entsprechende Hilfen gegeben werden können.

1.2. Anleitung zum Gebrauch des Gitters

Wählen Sie die Fragebögen nach dem Lebensalter des Kindes aus. Für ein Zweieinhalbjähriges beispielsweise soll der Fragebogensatz des dritten Lebensjahres genommen werden.

Liegt ein Kind altersmäßig im Grenzbereich zwischen zwei Jahrgängen, so kann für ein früh entwickeltes Kind wahrscheinlich schon der Fragebogen des nächsthöheren Lebensjahres genommen werden.

Hat man jedoch den Eindruck, daß das betreffende Kind zu den Spätentwicklern gehört, so wird man es zunächst mit dem altersmäßig niedrigen Fragebogensatz versuchen (in unserem Beispiel für Zweijährige). Das ist besonders bei behinderten und in ihrer Entwicklung gestörten Kindern angezeigt. Je niedriger man hier ansetzt, desto besser.

Inwieweit danach noch die Fragebögen des darüber liegenden Altersbereichs durchgeprüft werden müssen, hängt davon ab, ob überhaupt noch Aufgaben oder Funktionen im letzten Halbjahr des niedrigeren Fragebogens gekonnt wurden.

Generell soll die Entwicklung in jeder der fünf Funktionsspalten so weit nach oben überprüft werden, bis innerhalb eines Halbjahresbereichs keine einzige Aufgabe mehr gelöst wird.

Umgekehrt soll die Entwicklungsüberprüfung so weit nach unten fortgesetzt werden, bis man sicher ist, daß ein Kind alle darunter liegenden Funktionen beherrscht.

Bei den Entwicklungsaufgaben des ersten Lebensjahres genügt es, wenn man weiß, daß das inzwischen ältere Kind diese Funktionen irgendwann einmal beherrscht hat. Wenn zum Beispiel für einen sechs Monate alten Säugling angegeben ist, daß er Dinge in den Mund steckt (Spalte B) oder durch Laute antwortet (Spalte D), so ist damit selbstverständlich nicht gemeint, daß ein inzwischen Dreijähriger noch immer alles in den Mund stecken und mit Lauten, statt mit Worten, antworten soll. Er muß es nur irgendwann in seiner Entwicklung einmal getan haben.

Nachdem nun alle Altersfragebögen sorgfältig durchgegangen worden sind, werden die gefundenen Lösungen ⊠ oder Halblösungen ⊿ in die entsprechenden Kästchen des Entwicklungsgitters übertragen. Die Kästchen der noch nicht gelösten Aufgaben ☐ bleiben leer. Es ist aber zu erwarten, daß später bei erneuter Entwicklungsüberprüfung sowohl die leeren ☐ als auch die bisher nur halb gelösten Aufgabenkästchen ⊿ in voll gelöste ⊠ umgewandelt werden können.

Es mag vielleicht für den einen oder anderen Fall interessant sein, die gefundenen Aufgabenlösungen zusammenzuzählen und die Summe auf der Grundlinie, getrennt nach Funktionsbereichen, einzutragen. Dabei werden zwei halbe Lösungen ◨ ◧ als ganze Lösung ⊠ berechnet. **Die Summe der gelösten Aufgaben ergibt somit das ungefähre Spätestentwicklungsalter des Kindes.**

Die Angabe eines auf den Monat genauen Alters ist nicht das Ziel dieses einfachen Suchverfahrens, das in seiner Gesamtheit nicht statistisch normiert ist. Die im Entwicklungsgitter angegebenen Alterswerte entsprechen, wie schon betont, der unteren Grenze einer noch altersgemäßen Entwicklung.

Für eine Grobauslese von Entwicklungsstörungen und -verzögerungen genügt es zu wissen, daß sich das untersuchte Kind – gemessen an der Spätentwicklung – in einem bestimmten **Halbjahresbereich** befindet. So mag sein Entwicklungsalter beispielsweise in der Fortbewegungsfunktion zwischen zwei und zweieinhalb Jahren liegen, gegenüber einem Greifalter von nur eineinhalb bis zwei Jahren.

Man kann die betreffenden Halbjahresbereiche im Gitter mit dem Bleistift schraffieren, damit sie deutlich hervortreten. Es kann aber auch mit einem Filzstift eine dicke Linie in der jeweiligen Spalte oberhalb der errechneten Monatszahl gezogen werden. Sie erhalten dadurch ein **Entwicklungsprofil.** Es markiert die Stärken und Schwächen des betreffenden Kindes in den fünf Entwicklungsbereichen.

Wenn Sie das bei der **Erstüberprüfung** gewonnene Entwicklungsprofil beispielsweise mit blauem Filzstift eingezeichnet haben, so nehmen Sie bei der Wiederholungsüberprüfung einen roten und beim dritten Male einen grünen Stift. Schreiben Sie jedesmal das Datum in der gleichen Farbe daneben.

Es empfiehlt sich, auch die einzelnen Aufgabenlösungen jeweils mit dem betreffenden Farbstift in die Kästchen des Gitters einzutragen. Man kann sich dadurch auch noch später vor Augen führen, welche Funktionen bereits beim ersten Untersuchungstermin gekonnt und welche erst später beherrscht wurden.

Im allgemeinen soll die **Zweituntersuchung ein halbes Jahr später** vorgenommen werden. Dieser Zeitraum hat sich gerade bei Spätentwicklern und entwicklungsgestörten Kindern bewährt. Bei ihnen ist nach einem halben Jahr schon deutlich zu sehen, ob, zum Beispiel infolge gezielter Übungsanregungen, einige Entwicklungsmonate aufgeholt werden konnten.

Bei verlangsamtem Entwicklungstempo wird der Abstand zur altersgemäßen Entwicklung normalerweise immer größer, je älter das behinderte Kind wird. Deshalb wird man hier alles daransetzen, um die Entwicklungszuwachsrate möglichst zu steigern (vgl. »Das rückständige Kind«, ab Seite 92).

Für den Fachmann mag die Errechnung eines sich an der Spätentwicklung orientierenden **Entwicklungsquotienten (EQ)** eine den Entwicklungsverlauf verdeutlichende und von daher hilfreiche Meßzahl sein. Der EQ gibt den Unterschied zwischen dem Lebensalter und dem tatsächlich erreichten Entwicklungsstand an. Die Zahl 100 entspricht in unserem Spätentwicklungsgitter dem untersten Normalwert. Jede Zahl darüber nähert sich der durchschnittlichen Entwicklung oder übertrifft sie sogar. **Jeder Entwicklungsquotient unter 100 signalisiert dagegen eine auf krankhafte Störung verdächtige Entwicklungsverlangsamung.**

Fragebögen für Eltern und Erzieher

Die im folgenden aufgeführten Funktionen werden vom Kinde entweder **gekonnt** oder **nicht gekonnt**. Das heißt, es wird auf die betreffende Situation oder Aufgabenstellung wie angegeben reagieren, oder die Reaktion bleibt aus.

Um die Funktionsleistungen des zu prüfenden Kindes möglichst genau abgestuft beurteilen zu können, besteht bei jeder Aufgabe nicht nur die Möglichkeit der **Lösung** ⊠ oder **Nicht-Lösung** ☐, sondern auch die Möglichkeit der **Halb-Lösung** ◪. Wenn nicht anderes angegeben, bewerten Sie eine Aufgabe als **halb gekonnt** ◪, wenn

– die Qualität der Ausführung noch zu wünschen übrigläßt,
– die richtige Reaktion nur im Ansatz vorhanden ist,
– nur teilweise oder unvollständig erfolgt,
– nur manchmal, aber nicht immer erfolgt.

Wichtiger Hinweis:

Die folgenden 240 Aufgaben dienen nicht allein der Entwicklungsüberprüfung. Sie stellen außerdem ein gezieltes Übungsprogramm zur systematischen Förderung entwicklungsrückständiger Kinder dar.

Die Funktionen des ersten Lebensjahres:
A. Optische Wahrnehmung

A. 1. Folgt bewegtem Objekt ☐

Kann das Kind in Rückenlage den langsamen Bewegungen eines leuchtend roten Spielgegenstandes mit den Augen folgen?

Nehmen Sie einen kleinen roten Ball, einen roten Hohlwürfel oder ein rotes Wollknäuel. Halten Sie es in etwa 30 bis 50 cm Abstand über die Augen des Kindes. Schütteln Sie den Gegenstand so lange, bis das Kind hinsieht. Dann bewegen Sie ihn langsam waagerecht eine kurze Strecke nach rechts und dann wieder nach links. Wiederholen Sie die Bewegung mehrmals.

Die Aufgabe gilt als **gekonnt,** wenn das Kind den Gegenstand mehrmals für jeweils 2 bis 3 Sekunden interessiert betrachtet, indem es seinen Bewegungen mit den Augen folgt.

Sie gilt als **halb gekonnt,** wenn das Kind nur schwach oder nur gelegentlich auf diese Weise reagiert.

Die Aufgabe gilt als **nicht gekonnt,** wenn es den Zielgegenstand gar nicht oder nur für einen kurzen Moment ansieht und sich danach sofort wieder abwendet.

Wichtig: Der Zielgegenstand darf kein Geräusch erzeugen, und Sie sollen bei dieser Prüfung auch nicht mit dem Kind sprechen. Es würde sonst akustisch und nicht optisch reagieren.

A. 2. Blickt ins Gesicht ☐

Betrachtet das auf dem Rücken liegende Kind ein sich ihm langsam näherndes Gesicht?

Eine erwachsene Person soll sich mit ihrem Gesicht dem Gesicht des Kindes auf etwa 30 cm nähern.

Es genügt, wenn das Kind das Gesicht für 2 bis 3 Sekunden betrachtet.

Weitere Wertung wie bei Aufgabe A. 1.

Wichtig: Nicht mit dem Kind sprechen, da es sonst akustisch abgelenkt wird.

A. 3. Sieht Wegbewegtem nach ☐

Verfolgt das Kind einen roten Spielgegenstand, wenn er langsam wegbewegt wird?

Beginnen Sie wie bei Aufgabe A. 1. damit, seine Aufmerksamkeit durch kurzes Schütteln des Spielzeuges zu erringen. Aus etwa 30 cm Abstand von den Augen des Kindes beginnend, entfernen Sie den roten Gegenstand nun langsam vom Kind weg bis auf etwa das Doppelte der Anfangsentfernung.

Es genügt, wenn das Kind für 2 bis 3 Sekunden dem langsam schwindenden Gegenstand nachsieht.

Weitere Wertung wie bei Aufgabe A. 1.

Wichtig: Keine Geräusche, kein Anrufen oder Sprechen!

A. 4. Betrachtet Ding in der Hand ☐

Betrachtet das Kind einen leuchtend roten Gegenstand in seiner Hand?

Geben Sie dem Kind ein entsprechendes Spielzeug in sein Händchen und führen Sie es im Abstand von etwa 30 cm in das Blickfeld seiner Augen. Kann es den Gegenstand (rotes Wollknäuel od. ähnl.) nicht selbst halten, so legen Sie Ihre Hand um sein Händchen.

Es genügt, wenn der Gegenstand für 2 bis 3 Sekunden betrachtet wird.

Weitere Wertung wie bei Aufgabe A. 1.
Wichtig: Der Gegenstand darf kein Geräusch erzeugen!

A. 5. Sieht Rosine auf dem Tisch ☐

Ist das Kind in der Lage, kurzzeitig eine Rosine auf einer weißen Unterlage anzu-sehen?

Das Kind sitzt am besten auf dem Schoß der Mutter, so daß seine Händchen die Tischfläche berühren können. Eine zweite Person sollte an der gegenüberliegenden Tischseite sitzen, um die Augen des Kindes genau beobachten zu können. Lassen Sie nun aus geringer Höhe eine Rosine auf die weiße Unterlage (Papier oder Tisch-decke) fallen. Wenn das Kind immer noch nicht hinschaut, so soll die Rosine mehrmals mit dem Finger angestoßen, weitergeschoben oder weitergeschnippt wer-den. Nehmen Sie die Hand aber immer schnell zurück, so daß geprüft werden kann, ob das Kind auch wirklich die Rosine betrachtet.
Es genügt, wenn die Augen des Kindes für 2 bis 3 Sekunden auf die Rosine gerichtet sind.
Weitere Wertung entsprechend Aufgabe A. 1.

A. 6. Richtet Augen parallel ☐

Sind die Augen des Kindes beide in etwa parallel auf den betrachteten Gegenstand gerichtet?

Beobachten Sie, ob das Kind nicht evtl. mit einem Auge von der Geradeausrichtung abweicht.
Die Aufgabe gilt als **gekonnt,** wenn beide Augen gleichgerichtet sind.
Ein Wechsel zwischen Parallelstellung und Schielen gilt als **halb gekonnt.**
Schielt das Kind, so ist die Aufgabe als **nicht gekonnt** zu bewerten.

A. 7. Verfolgt gehende Personen ☐

Folgt das Kind einer im Raum langsam herumgehenden Person mit den Blicken?

Das Kind soll so sitzen oder auf dem Arm gehalten werden, daß die herumgehende Person in seinem Blickfeld liegt.
Es genügt, wenn die Person während etwa 2 bis 3 Sekunden beobachtet wird.
Weitere Wertung wie bei Aufgabe A. 1.

Wichtig: Die im Zimmer umhergehende Person soll nicht laut mit den Füßen auf-treten und auch nicht rufen!

A. 8. Sieht Hingefallenem nach ☐

Verfolgen die Augen des Kindes ein heruntergefallenes Spielzeug?

Halten Sie das Kind auf dem Schoß, und zeigen Sie ihm einen leuchtend roten Spielgegenstand. Wenn Sie sicher sind, daß das Kind ihn auch betrachtet, so lassen Sie ihn durch Handöffnen auf den Boden fallen.
Das Kind hat richtig reagiert, wenn es dem Gegenstand suchend nachsieht.
Weitere Wertung siehe Aufgabe A. 1.

Wichtig: Der herunterfallende Gegenstand soll kein Geräusch von sich geben! Man verwendet am besten einen bunten Stoffball, eine rote Wollmütze, ein Wollknäuel oder einen nur gering aufgeblasenen Luftballon.

A. 9. Betatscht Spiegelbild □

Löst das eigene Spiegelbild ein Betatschen und Beklatschen mit den Händchen aus?
Bringen Sie einen Spiegel etwa von der Größe eines normalen Schreibbogens so
vor das Gesicht des Kindes, daß es sein Spiegelbild sehen kann. Das Kind kann
dabei auf dem Schoß sitzen. Es ist aber auch möglich, den Spiegel auf den Boden
zu legen und das Kind in Bauchlage mit dem Gesicht darüber zu bringen.
Es genügt, wenn das Kind beim Betrachten seines Spiegelbildes seine Händchen
danach ausstreckt, die Spiegelfläche berührt und mit seinen Händchen irgendwelche
Bewegungen darauf ausführt.
Weitere Bewertung entsprechend Aufgabe A. 1.

A. 10. Beobachtet seine Hände □

Verfolgt das Kind die zufälligen Bewegungen seiner Händchen mit den Augen?
Es genügt, wenn es seinen Blick auf die eigenen Händchen richtet, während es
irgend etwas tut.
Weitere Bewertung wie bei Aufgabe A. 1.

A. 11. Erkennt sein Fläschchen □

*Zeigt das Kind durch freudige Erregung an, daß es seine ihm gezeigte Trinkflasche
erkennt?*
Bringen Sie die Flasche, ohne daß Sie mit dem Kind sprechen, langsam in sein
Blickfeld. Beobachten Sie, wie es darauf reagiert.
Die Aufgabe gilt als **gekonnt,** wenn das Kind mit Ärmchen und Beinchen Zappel-
bewegungen macht, den Mund aufgeregt öffnet und schließt oder schnelle Leck-
bewegungen macht.
Weitere Bewertung entsprechend Aufgabe A. 1.
Wichtig: Es darf keinesfalls gleichzeitig die Bezeichnung für Essen oder Trinken
(ham ham, pap pap, happa od. ähnl.) genannt werden!

A. 12. Findet verdecktes Ding □

Entfernt das Kind ein über sein Spielzeug gelegtes Tuch?
Legen Sie einen begehrenswerten Spielgegenstand vor das Kind hin und vergewis-
sern Sie sich, daß es ihn anschaut. Wahrscheinlich wird es auch danach greifen
wollen. Nun decken Sie schnell den Gegenstand mit einem Taschentuch oder einem
kleinen Deckchen ab, so daß er der Sicht des Kindes entzogen ist. Beobachten Sie,
wie es reagiert.
Die Aufgabe gilt als **gekonnt,** wenn das Kind das Tuch wegzieht, um wieder an den
Gegenstand zu gelangen.
Sie gilt als **halb gekonnt,** wenn das Kind sein Händchen in Richtung des Tuches
ausstreckt.
Blickt das Kind lediglich in Richtung des Tuches, zeigt aber keine Greifreaktion,
so gilt dies als **nicht gekonnt.**

Die Funktionen des ersten Lebensjahres: B. Handmotorik

B. 1. Schließt Hand um Objekt ☐

Schließen sich die Finger zum Faustgriff, um einen Gegenstand festzuhalten?

Berühren Sie die Handfläche des Kindes mit Ihrem eigenen Zeigefinger oder stecken Sie den Stiel einer Klapper oder Rassel in sein halb geöffnetes Händchen. Das Kind soll durch diesen Berührungsreiz sein Händchen für einige Sekunden so fest schließen, daß ein nicht zu schwerer Gegenstand kurzzeitig gehalten wird.
Reagiert das Kind stark und häufig genug auf diese Weise, so gilt diese Funktion als **gekonnt.**
Sind seine Reaktionen nur schwach und selten zu beobachten, so ist dies als **halb gekonnt** zu bewerten.
Bei unterbliebener oder nur rein zufälligem Reagieren ist die Funktion **nicht gekonnt.**

B. 2. Armbeuge- und Streckbewegung ☐

Beugt und streckt das Kind beide Arme symmetrisch?

Die Funktion gilt als **gekonnt,** wenn beide Arme gleich stark bewegt werden.
Sind die Armbeuge- und Streckbewegungen nicht energisch oder sind sie nur selten zu sehen, so ist die Funktion nur **halb gekonnt.**
Ist das Ausmaß der Bewegungen eines Armes wesentlich geringer als das des anderen, bewegt sich also das eine Ärmchen kaum mit, so ist die Funktion **nicht gekonnt.**

B. 3. Zupft an seiner Kleidung ☐

Zieht und zupft das Kind mit seinen Fingern an Kleidungsstücken oder Bettdecke?

Es kommt hier darauf an zu beobachten, ob die Händchen beim selbsttätigen Berühren und Streicheln seiner näheren Umgebung dadurch aktiv werden, daß sie Kleidungsfalten greifen und daran herumzerren.
Es genügt auch, wenn das Kind in Rückenlage ein neben sich liegendes Tuch zu sich heranzieht.
Weitere Wertung wie bei Aufgabe B. 1.

B. 4. Spielt mit seinen Händchen ☐

Bringt das Kind seine Händchen vor dem Körper zusammen, indem es damit spielt?

Die Funktion ist **gekonnt,** wenn das Kind selbsttätig seine Hände vor dem Körper zusammenführt.
Tut es das, jedoch ohne eigentliche Spielbewegungen der Finger, so ist die Funktion nur **halb gekonnt.**
Berühren die Händchen einander nicht, so ist die Funktion als **nicht gekonnt** zu bewerten.

B. 5. Langt in Richtung Objekt ☐

Streckt das Kind seine Arme einem in seinem Blickfeld befindlichen Spielzeug entgegen?

Nehmen Sie das Kind am besten so auf den Schoß, daß seine Unterarme und Hände auf der Tischfläche liegen. Legen Sie nun einen interessanten Spielgegenstand in Reichweite hin und fordern Sie das Kind auf, ihn sich zu nehmen.
Die Aufgabe gilt als **gekonnt,** wenn das Kind mit seinen Armen in Richtung des Spielobjektes zielt. Das Kind braucht dabei seine Händchen nicht zu öffnen und auch nicht zu greifen. Der Gegenstand kann berührt oder auch verfehlt werden.

Es genügt auch, wenn das Kind in Rückenlage ungeschickte Greifversuche in Richtung eines über ihm hängenden Spielzeuges macht.
Weitere Bewertung gemäß Aufgabe B. 1.

B. 6. Steckt Dinge in den Mund ☐

Kann das Kind einen Gegenstand, den man in seine Hand gegeben hat, zum Munde führen?

Die Aufgabe gilt als **gekonnt,** wenn es eine Rassel, einen Greifring oder etwas ähnliches zum Munde führt, um daran zu lecken oder darauf zu kauen.
Weitere Wertung wie bei Aufgabe A. 1.

B. 7. Greift und läßt los ☐

Greift das Kind einen vor ihm auf dem Tisch liegenden Würfel und läßt es ihn los, wenn man ihm einen zweiten Würfel zeigt?

Hier sollen zwei Fähigkeiten entwickelt sein: die Fähigkeit zum einhändigen Greifen eines handgerechten Gegenstandes und die Fähigkeit, diesen wieder loszulassen.
Wird nur eine dieser beiden Funktionen ausgeführt, so gilt die Aufgabe als **halb gekonnt.**
Kann das Kind weder greifen noch loslassen, so gilt sie als **nicht gekonnt.**
Wichtig: Läßt das Kind beim Anblick des zweiten Würfels den ersten nicht los, sondern ergreift den zweiten mit der freien Hand, so ist dies ein Zeichen für eine höhere Funktionsreife. In diesem Fall soll dem Kind ein dritter Würfel gezeigt werden, um es zum Loslassen des einen der beiden gleichzeitig gehaltenen Würfel zu veranlassen.

B. 8. Nimmt zwei Dinge vom Tisch ☐

Kann das Kind mit jeder Hand ein Klötzchen vom Tisch aufnehmen?

Legen Sie zwei Würfel oder Klötzchen vor das Kind hin und fordern Sie es auf, sie zu nehmen.
Die Aufgabe gilt als **gekonnt,** wenn das Kind beide Klötzchen aufnimmt und in jeder Hand eines hält.
Sie gilt als **halb gekonnt,** wenn nur eine Hand zugreift bzw. als **nicht gekonnt,** wenn kein Zugreifen erfolgt.

B. 9. Gibt Ding von Hand zu Hand ☐

Kann das Kind ein Klötzchen von einer Hand in die andere weitergeben?

Nachdem das Kind mit der Vorzugshand einen Würfel genommen hat, versucht man, ihm einen zweiten zu reichen.
Die Aufgabe ist **gekonnt,** wenn das Kind, statt den ersten Würfel fallen zu lassen, ihn mit der anderen Hand übernimmt. Das sollte frei geschehen.
Müssen Körper oder Mund zu Hilfe genommen werden, so gilt die Aufgabe als **halb gekonnt.**
Sie gilt als **nicht gekonnt,** wenn die andere Hand den Würfel nicht übernimmt.

B. 10. Befühlt, untersucht Dinge ☐

Untersucht das Kind einen Gegenstand, indem es ihn durch Drehen und Wenden von beiden Seiten betrachtet?

Geben Sie dem Kind einen Löffel, einen kleinen Handspiegel oder irgendeinen interessanten kleinen Gegenstand, den das Kind noch nicht kennt. Beobachten Sie, wie es damit hantiert, um es genauer in Augenschein nehmen zu können. Es genügt, wenn das Kind den Gegenstand mehrmals herumdreht, um ihn von der anderen Seite zu betrachten.

Weitere Wertung wie bei Aufgabe A. 1.

B. 11. Schüttelt Gegenstand ☐

Versucht das Kind, einem Gegenstand durch Schütteln ein Rasselgeräusch zu entlocken?

Geben Sie dem Kind eine Rassel, Klapper, ein Glöckchen, einen Ring, ein Schellenband oder eine Schachtel, in der etwas klappert.

Der Gegenstand braucht nicht am Stiel gefaßt zu werden. Es genügt, wenn das Kind ihn irgendwie ergreift und seinen Inhalt durch kräftiges Schütteln hin- und herbewegt.

Weitere Wertung wie bei Aufgabe A. 1.

B. 12. Daumen-Zeigefinger-Griff ☐

Kann das Kind einen kleinen Gegenstand pinzettenartig mit Daumen und Zeigefinger aufnehmen?

Lassen Sie vor den Augen des Kindes eine Rosine oder ein ganz kleines Stückchen Schokolade auf eine weiße Tischfläche fallen, wie das bei Aufgabe A. 5. beschrieben wurde. Beobachten Sie, wie das Kind danach greift.

Die Aufgabe ist **gekonnt,** wenn die Rosine sowohl rechts als auch links mit den Kuppen des Daumens und des Zeigefingers aufgenommen wird.

Wird dies nur einhändig vollbracht oder wird die Rosine nicht mit den Fingerkuppen, sondern mit irgendeinem Teil des Daumens und Zeigefingers aufgenommen, so gilt die Aufgabe als nur **halb gekonnt.**

Wird die Rosine ohne Benutzung des Daumens nur mit den Fingern harkenförmig aufgenommen, so gilt sie als **nicht gekonnt.**

Die Funktionen des ersten Lebensjahres: C. Körpermotorik

Anmerkung: Während des ersten Lebensjahres sind für jeden Monat gleich zwei Funktionsvollzüge angegeben: Der eine betrifft die Statik, d. h. die Haltekraft des Körpers. Der zweite Vollzug betrifft die Dynamik, d. h. die Schnellkraft und die Fortbewegungsfunktion des Säuglings.

Die Aufgabe gilt als **gekonnt,** wenn das Kind jeweils beide Funktionen bewältigt.

Wenn nur eine dieser Entwicklungsfunktionen vollzogen wurde, so ist die Aufgabe als **halb gekonnt** zu bewerten.

C. 1. Kopfheben in Bauchlage und Fußstöße gegen Druck ☐

Kann das Kind, wenn es auf dem Bauch liegt, sein Köpfchen kurzzeitig etwas anheben? Antwortet das Kind mit kräftigen Fußstößen, wenn Sie gegen seine Fußsohlen drücken?

Wertung wie unter Anmerkung angegeben.

C. 2. Kopfkontrolle auf Arm und gleichzeitiges Strampeln ☐

Kann das Kind, wenn es auf dem Arm gehalten oder aufgesetzt wird, seinen Kopf für etwa 5 Sekunden unter leichten Wackelbewegungen gerade halten? Strampelt es mit beiden Beinen gleich kräftig?

Wertung siehe vorstehende Anmerkung.

C. 3. Unterarmstütz in Bauchlage und Aktivität beim Baden ☐

Setzt das Kind, wenn es auf dem Bauch liegt, seine Unterarme von den Ellbogen bis zu den Händen auf, um mehr sehen zu können, und hält es dabei die Hüftgelenke gestreckt?
Erhöht sich seine Bewegungsaktivität deutlich, wenn es gebadet wird?

Wertung nach vorstehender Anmerkung.

C. 4. Rücken gerade im Sitz und Schwimmbewegungen in Bauchlage ☐

Hält das Kind, wenn es kurzzeitig mit Unterstützung sitzt, seinen Rücken gerade?
Macht es, wenn es in Bauchlage gelegt wird, schwimmähnliche Arm- und Beinbewegungen, wobei die Glieder in unregelmäßigem Rhythmus fortlaufend angebeugt und wieder ausgestreckt werden?

Wertung nach vorstehender Anmerkung.

C. 5. Handstütz in Bauchlage und Rollen auf den Rücken ☐

Stützt sich das Kind, wenn es auf dem Bauche liegt, mit den Händen ab?
Kann es sich aus der Bauchlage selbständig auf den Rücken wälzen?

Wertung nach vorstehender Anmerkung.

C. 6. Hebt Kopf in Rückenlage und zieht sich zum Sitz ☐

Hebt das Kind, während es auf dem Rücken liegt, seinen Kopf und die Schultern ein wenig an, um etwas zu sehen?
Kann es sich an Möbeln oder an den Stäben seines Laufgitters selbständig zum Sitzen aufrichten?

Wertung nach vorstehender Anmerkung.

C. 7. Beine tragen Körper und Tänzeln auf Schoß ☐

Können die Beine das gesamte Körpergewicht aushalten, wenn man ihm unter die Achseln greift, damit es nicht umfällt?
Wenn Sie es in gleicher Weise unter den Achseln halten, federt und wippt es dann auf der Unterlage, indem es sich beidbeinig tänzelnd davon abzustoßen versucht?

Wertung nach vorstehender Anmerkung.

C. 8. Vierfüßlerstand und Rollen in Bauchlage ☐

Kann das Kind ohne umzufallen sein Gewicht auf Knien und Händen, d. h. auf allen vieren, ausbalancieren?
Kann es sich von der Rückenlage selbständig auf den Bauch wälzen?

Wertung nach vorstehender Anmerkung.

C. 9. Sitzt länger allein und robbt auf Bauch ☐

Kann das Kind etwa 1 Minute unter Abstützen mit den Händen allein sitzen?
Kriecht es unter kräftigen Armzügen auf dem Bauche ein wenig vorwärts oder in einer Art Karussellbewegung um die eigene Achse?

Wertung nach vorstehender Anmerkung.

C. 10. Steht an Möbeln und zieht sich zum Stand ☐

Kann das Kind ½ Minute aufrecht stehen, indem es sich irgendwo anhält?

Kann es sich vom Boden unter Anhalten an Möbeln zum Stand emporziehen?
Wertung nach vorstehender Anmerkung.

C. 11. Sitzt gut im Stuhl und setzt sich allein auf ☐

Kann das Kind längere Zeit, z. B. während des Essens, in seinem Stühlchen sitzen, ohne dabei in sich zusammenzusinken?
Kann es sich ohne Anhalten an Möbeln zum Sitz am Boden aufrichten?
Wertung nach vorstehender Anmerkung.

C. 12. Kniet aufrecht und krabbelt allein ☐

Kann sich das Kind mit aufrechtem Körper und gestreckten Hüftgelenken etwa 10 Sekunden lang im Kniestand in der Balance halten?
Ist das Kind in der Lage, sich auf Knien und Händen krabbelnd vorwärts zu bewegen?
Wertung nach vorstehender Anmerkung.

Die Funktionen des ersten Lebensjahres: D. Sprache

D. 1. Saugt, schluckt, weint ☐

Macht das Kind Saug- und Schluckbewegungen und weint es bei Unbehagen?
Ist das Kind trinkschwach und äußert sich sein Weinen mehr in kläglichem Wimmern als in lautstarkem Schreien, so rechnet dies als **nicht gekonnt.**

D. 2. Andere Laute als Weinen ☐

Gibt das Kind, außer wenn es schreit oder weint, andere Geräusche oder Laute von sich?
Ist dies nur sehr undeutlich oder nur gelegentlich der Fall, so ist die Funktion als nur **halb gekonnt** zu bewerten.

D. 3. Laute: cha, grr, öh, eku, erre, uch, gaga ☐

Gibt das Kind glucksende, gurgelnde und girrende Kehllaute von sich?
Wertung wie bei Aufgabe D. 2.

D. 4. Kichert, lacht, quietscht ☐

Gibt das Kind vergnügt kichernde, laut lachende oder hohe Quietschtöne von sich?
Die Funktion gilt als **gekonnt,** wenn wenigstens zwei dieser drei Lautäußerungen öfters während des Tages beobachtet werden können.
Produziert das Kind nur eines dieser drei Geräusche, so ist dies als **halb gekonnt** zu bewerten. Ebenfalls wenn das Kind zwar quietscht und lacht, dies aber nur höchst selten tut.

D. 5. Schließt Mund, schluckt Spucke ☐

Hält das Kind für gewöhnlich seinen Mund geschlossen und schluckt es seine Spucke im allgemeinen hinunter?
Wenn nur eine dieser beiden Funktionen vorhanden ist, so gilt dies als **halb gekonnt.** Steht der Mund des Kindes vorwiegend offen und läuft immer wieder Speichel heraus, so ist dies als **nicht gekonnt** zu bewerten.

D. 6. Antwortet durch Laute ☐

Gibt das Kind eine Art »Lautanwort«, wenn es angesprochen wird?
Die Aufgabe ist **gekonnt,** wenn es bei Zuspruch im erhöhten Maße Laute produziert und damit deutlich wird, daß es sich den Erwachsenen irgendwie mitteilen möchte. Erfolgt diese Reaktion nur schwach, undeutlich oder selten, so ist die Aufgabe als **halb gekonnt** zu bewerten.

D. 7. Leckt Breilöffel gut ab ☐

Kann das Kind den Breiinhalt eines ihm hingehaltenen Löffels mit Hilfe von Saug-, Lippen- und Zungenbewegungen vollständig herausschlecken, wenn man ihm den Löffel lange genug hinhält?
Wird der Breilöffel nur ungenügend geleert, so ist die Aufgabe **halb gekonnt.**
Ist das Kind selbst nicht aktiv dabei und läßt es sich den Brei lediglich in den Mund schütten, so gilt dies als **nicht gekonnt.**

D. 8. Trinkt von gehaltener Tasse ☐

Ist das Kind in der Lage, aus einer Tasse zu trinken, wenn man sie ihm unter leichtem Kippen an den Mund hält?
Nimmt es nur wenig von der dargebotenen Milch an, so ist das mit **halb gekonnt** zu bewerten.
Nimmt es noch überhaupt keinen Schluck von der Tasse an, so ist dies als **nicht gekonnt** zu bewerten.

D. 9. Spuckt mit Zungenspitze ☐

Spuckt das Kind etwas, das es nicht mag, mit Hilfe der Zungenspitze wieder aus?
Wenn man die Zungenspitze beim Ausspucken deutlich für einen Moment sieht, so ist dies als **gekonnt** zu bewerten.
Spuckt das Kind zwar aus, jedoch ohne deutlich die Zungenspitze zu benutzen, so gilt dies als **nicht gekonnt.**

D. 10. Äußert Stimmungslaute ☐

Kann das Kind Stimmungen, z. B. Freude oder Unbehagen, durch unterschiedliche Laute ausdrücken?
Wertung wie bei Aufgabe D. 6.

D. 11. Ahmt Laute nach ☐

Kann das Kind Husten oder Brummen sowie irgendeine Silbenverdoppelung, z. B. »mamama«, imitieren?
Machen Sie ihm verschiedene Geräusche und Silben vor und registrieren Sie, welche es nachmacht.
Macht das Kind ein Geräusch (z. B. Motorengeräusch, Husten) und eine Silbenverdoppelung (mama, papa, tata) nach, so ist dies als **gekonnt** zu bewerten. Desgleichen, wenn das Kind zwei verschiedene Geräusche oder zwei verschiedene Silben nachmacht.
Bei nur einem Geräusch oder einer Silbe ist die Aufgabe nur **halb gekonnt.**

D. 12. Lallt vier verschiedene Silben ☐

Verfügt das Kind über einen »Sprachschatz« von vier oder mehr Silben?

Die Aufgabe gilt als **gekonnt,** wenn das Kind von sich aus vier verschiedene Silben oder Silbenkombinationen erzeugt, z. B.: bubu, ama, ogo, abu usw.
Produziert es nur drei verschiedene Silben, so gilt dies als **halb gekonnt.**
Bei zwei oder weniger Silben ist die Aufgabe **nicht gekonnt.**

Anmerkung: Das Kind braucht mit diesen Silben keine bestimmte Bedeutung zu verbinden.

Die Funktionen des ersten Lebensjahres: E. Akustische Wahrnehmung

E. 1. Erschrickt bei lautem Geräusch ☐

Zuckt das Kind, wenn es wach ist, bei einem plötzlichen Geräusch oder Ton erschreckt zusammen?

Bei nur schwacher oder seltener Reaktion ist die Funktion als **halb gekonnt** zu werten.
Bleibt sie ganz aus, so gilt dies als **nicht gekonnt.**

E. 2. Geräuschreaktion im Schlaf ☐

Bewegt sich das Kind während des Schlafens in einem ruhigen Raum, wenn plötzlich ein lautes Geräusch erschallt?

Bewegt es sich im Schlaf, wälzt es sich herum oder wacht es sogar dabei auf, so ist diese Gehörleistung als **gekonnt** zu bewerten.
Sind diese Reaktionen sehr schwach oder treten sie nicht immer auf, so ist die Funktion als **halb gekonnt** zu werten. Bleiben sie aus, so gilt dies als **nicht gekonnt.**

E. 3. Hält bei leisem Ton inne ☐

Reagiert das Kind während des Wachseins auf einen leisen Glockenton, wenn es die Klangquelle nicht sieht?

Nehmen Sie ein kleines Glöckchen und nähern Sie sich damit, wenn das Kind wach auf dem Rücken liegt, vorsichtig dem Kopfende seines Bettchens. Lassen Sie es im Abstand von etwa 20 cm leise ertönen. Statt eines Glöckchens kann auch ein Weinglas genommen werden, das man durch Fingerschnippen zum Klingen bringt. Beobachten Sie, ob das Kind auf den leisen Ton reagiert.
Hält das Kind kurzzeitig in der Bewegung inne, weiten oder bewegen sich seine Augen oder hält es kurzzeitig den Atem an, um danach vertieft durchzuatmen, so ist die Funktion als **gekonnt** zu bewerten.
Bei nur sehr spärlichen oder seltenen Reaktionen gilt die Aufgabe als **halb gekonnt.**
Reagiert es gar nicht, so gilt dies als **nicht gekonnt.**

E. 4. Sieht Sprechenden an ☐

Blickt das Kind der Mutter oder einer anderen Beziehungsperson ins Gesicht, wenn sie zu sprechen beginnt?

Nehmen Sie das Kind so auf den Schoß, daß es Sie sehen kann, sprechen Sie es aber noch nicht an. Wenn das Kind durch Saugen, Fläschchentrinken oder durch Betasten Ihrer Kleidung abgelenkt ist, so beginnen Sie leise zu sprechen.
Hält das Kind kurzzeitig in seiner Tätigkeit inne, um in das Gesicht der sprechenden Person zu sehen, so gilt dies als **gekonnt.**

Bei nur schwacher Blickreaktion wird die Aufgabe als **halb gekonnt** gewertet. Zeigt es keine Reaktion, so gilt dies als **nicht gekonnt**.

E. 5. Lauscht bei Gesang, Musik ☐

Zeigt das Kind akustisches Interesse bei Gesang oder Musik?

Schalten Sie, nachdem es vorher vollkommen ruhig war, plötzlich das Radio ein oder beginnen Sie einige Meter entfernt laut zu singen.

Hält es in seiner Bewegung inne, spannt den Körper, reckt oder bewegt den Kopf, so ist dies als **gekonnt** zu bewerten.

Ist die Lauschreaktion nur sehr schwach oder wird sie nur hin und wieder gezeigt, so ist die Aufgabe **halb gekonnt**.

Hört das Kind nicht hin, so gilt dies als **nicht gekonnt**.

E. 6. Sucht Ton durch Kopfwenden ☐

Wendet das Kind beim Erklingen eines Tones, Geräusches oder einer Stimme seinen Kopf suchend hin und her?

Die Aufgabe ist **gekonnt**, wenn deutlich erkennbar ist, daß es herauszufinden versucht, woher der Ton kommt.

Weitere Wertung wie bei Aufgabe E. 5.

E. 7. Stoppt Weinen auf Zuspruch ☐

Hört das Kind zu schreien auf, wenn eine ihm gut bekannte Person beruhigend mit ihm spricht?

Wichtig: Das Kind darf nicht hungrig sein!

Tritt nur wenig Beruhigung ein, ist aber eine deutliche Verminderung des Weinens zu bemerken, so gilt dies als **halb gekonnt**.

Die Aufgabe ist **nicht gekonnt**, wenn es sich durch sanftes Sprechen nicht beruhigen läßt.

E. 8. Lauscht bei Schritten ☐

Ist das Kind aufgeregt, wenn es herannahende Schritte hört?

Nähern Sie sich lauten Schrittes dem Bettchen des Kindes, während es auf dem Rücken liegt. Das Kind darf Sie beim Herannahen nicht sehen. Beobachten Sie seine Reaktion.

Es genügt, wenn das Kind seine innere Erregung durch verstärkte Bewegungsaktivität, Lageveränderung, Kopfheben oder Kopfdrehen zeigt.

Weitere Wertung wie bei Aufgabe E. 5.

E. 9. Dreht Kopf beim Flüstern ☐

Kann das Kind eine flüsternde Stimme im Nahabstand hören und wendet es seinen Kopf dieser Richtung zu?

Während die Mutter oder eine andere Beziehungsperson das Kind rittlings so auf den Schoß nimmt, daß es sie ansehen kann, nähert sich eine andere Person dem Kind von hinten. Um es seinen Atem nicht spüren zu lassen, soll der Flüsternde sich die Hand vor den Mund halten, während er sich in etwa 30 cm Abstand rechts oder links schräg hinter dem Köpfchen des Kindes befindet.

Die Aufgabe ist **gekonnt**, wenn sich das Kind nach der Flüsterstimme umdreht. Dreht es sich zur falschen Seite um oder zeigt es nur allgemeine Suchreaktionen, so gilt dies als **halb gekonnt**.

Reagiert das Kind nicht, so ist die Aufgabe **nicht gekonnt**.

E. 10. Reagiert auf Schimpfen ☐

Reagiert das Kind mit Angst auf einen scharfen Schimpfton?

Nach vorherigen Koselauten wechseln Sie plötzlich den Gefühlston Ihrer Stimme, indem Sie sehr bestimmt »nein, nein« sagen.
Zeigt das Kind als Reaktion auf den veränderten Gefühlston in der Erwachsenenstimme kurzzeitig einen ängstlichen oder erstaunten Gesichtsausdruck, so ist die Aufgabe als **gekonnt** zu bewerten.
Bei nur geringer Reaktion des Kindes ist die Aufgabe **halb gekonnt**.
Bleibt die Reaktion aus, so gilt dies als **nicht gekonnt**.

E. 11. Dreht Kopf direkt zum Ton ☐

Wendet das Kind seinen Blick unmittelbar in die Richtung, aus der ein Ton, ein Hallo-ruf oder sein Vorname ertönt?

Es genügt, wenn das Kind seinen Kopf direkt der Schall- oder Tonquelle zuwendet.
Bei nicht sicherer Schallokalisation, d. h. wenn das Kind nicht gleich in die richtige Richtung blickt, ist die Aufgabe nur **halb gekonnt**.
Blickt es in die falsche Richtung, gilt dies als **nicht gekonnt**.

E. 12. Versteht eine Wortbedeutung ☐

Können Sie aus einer sicheren Reaktion schließen, daß das Kind den Sinngehalt irgendeines Wortes versteht?

Das ist beispielsweise der Fall, wenn das Kind auf die Frage: »Wo ist das Licht?« (der Teddy, die Puppe, der Ball) in Richtung des genannten Gegenstandes schaut.
Es genügt die sichere Kenntnis nur einer Wortbedeutung. Sie kann auch, statt mit einem Gegenstand, mit einer Handlung verbunden sein: Z. B. daß das Kind auf die Worte »gib Kussi« der Mutter ein Küßchen gibt. Ober wenn es auf Aufforderung »winke winke« macht.
Reagiert das Kind nur schwach oder selten auf das betreffende Wort, so ist die Aufgabe als **halb gekonnt** zu werten.
Reagiert es gar nicht, so gilt dies als **nicht gekonnt**.

Die Funktionen des zweiten Lebensjahres:
A. Optische Wahrnehmung

A. 13. Bevorzugt ein Spielzeug ☐

Hat das Kind ein Lieblingsspielzeug, das es bevorzugt?

Es ist gleich, ob es sich um einen Teddy, eine Puppe, ein Auto, eine Rassel oder auch nur ein Taschentuch handelt. Hauptsache, es bevorzugt irgendeinen Gegenstand.
Die Aufgabe ist **gekonnt,** wenn das Kind aus mehreren Gegenständen den von ihm bevorzugten heraussucht.
Sie ist nur **halb gekonnt,** wenn es nur schwach oder nur gelegentlich auf diese Weise reagiert.
Die Aufgabe ist **nicht gekonnt,** wenn die erwartete Reaktion ganz ausbleibt.

A. 14. Kennt Eltern und Geschwister ☐

Zeigt das Kind Freude beim Erkennen seiner Eltern und Geschwister?

Es gilt hier festzustellen, ob es unterschiedlich beim Näherkommen von fremden oder bekannten Personen reagiert. Nachdem es eine Weile allein gelassen wurde, sollen sich abwechselnd ein Elternteil, ein Geschwister oder eine Person aus der Nachbarschaft dem Kinde zuwenden.
Die Aufgabe ist **gekonnt,** wenn es beim Anblick der Eltern und Geschwister freudig erregt ist. Wo keine Geschwister vorhanden sind, genügt die positive Elternreaktion.
Weitere Bewertung wie bei Aufgabe A. 13.

A. 15. Sieht rollendem Ball nach ☐

Kann das Kind einen langsam von ihm wegrollenden bunten Ball mittlerer Größe mit den Augen verfolgen?

Versichern Sie sich vorher, ob das Kind den Ball auch anschaut, und rollen Sie ihn nun langsam vom Kinde weg.
Die Aufgabe gilt als **gekonnt,** wenn das Kind mit den Augen am Ball bleibt, während er etwa 3 m durchs Zimmer oder durch den Flur rollt.
Weitere Bewertung wie bei Aufgabe A. 13.

A. 16. Betrachtet sich im Spiegel ☐

Schaut das Kind eine kurze Weile auf sein Spiegelbild?

Plazieren Sie das Kind, ähnlich wie bei Aufgabe A. 9., vor einen Spiegel und beobachten Sie, ob es sein Spiegelbild auch wirklich anschaut. Sie können dazu sowohl hinter dem Spiegel stehend dem Kinde ins Gesicht schauen als auch, hinter ihm stehend, direkt in den Spiegel blicken.
Die Aufgabe gilt als **gekonnt,** wenn sich das Kind während 3 Sekunden aufmerksam im Spiegel betrachtet.
Weitere Wertung entsprechend Aufgabe A. 13.

A. 17. Besieht gern Bilderbuch ☐

Betrachtet das Kind interessiert und freudig bunte Bilder?

Nehmen Sie einfache, möglichst große Einzelabbildungen oder ein entsprechendes Bilderbuch. Schauen Sie es mit dem Kind zusammen an, am besten während das Kind auf Ihrem Schoß sitzt.
Es genügt für die Aufgabenerfüllung, wenn das Kind Spaß am Betrachten der Bilder hat. Es braucht den Sinn der Bilder nicht zu verstehen.

Hier ist es erlaubt, mit dem Kinde zu sprechen und ihm die Bilder erklärend näherzu-
bringen.
Weitere Wertung wie bei Aufgabe A. 13.

A. 18. Erkennt Person von weitem ☐

*Kann das Kind Mama, Papa oder eine andere ihm vertraute Person aus 10 m Ent-
fernung erkennen?*

Schauen Sie mit dem Kind aus dem Fenster oder stehen Sie mit ihm vor der Tür,
während die vertraute Person sich von weitem nähert. Sie darf sich durch Winken,
Hüpfen oder Tanzen bemerkbar machen.
Die Aufgabe gilt als **gekonnt,** wenn das Kind bei einem Abstand von etwa 10 m allge-
meine Äußerungen der Freude zeigt. Wiederholen Sie den Versuch evtl. mit einer
anderen Vertrauensperson.
Reagiert das Kind erst bei einer Annäherungsentfernung von etwa 5 bis 8 m, so gilt
dies als **halb gekonnt.**
Erfolgt die Erkennungsreaktion unterhalb einer Entfernung von 5 m, so gilt die Auf-
gabe als **nicht gekonnt.**
Wichtig: Der sich nähernde Elternteil sollte nicht sprechen oder rufen, da ihn das
Kind sonst akustisch erkennen könnte.

A. 19. Ordnet Ding zum Ding ☐

Erkennt das Kind die Gleichheit zweier Dinge, indem es sie zusammenordnet?

Es ist notwendig, zwei Sorten von völlig gleich aussehenden Gegenständen zur Verfügung zu haben: z. B. Streichholzschachteln und Plastiklöffel. Legen Sie links vor das
Kind einige Streichholzschachteln nebeneinander, während sie rechts vom Kind
einige Plastiklöffel zusammenordnen. Nun geben Sie ihm entweder eine Streichholzschachtel oder einen Plastiklöffel in die Hand und beobachten, ob dieser Gegenstand
richtig zugeordnet wird. Zeigen Sie ihm mehrere Male, welche Dinge zusammengehö-
ren.
Die Aufgabe gilt als **gekonnt,** wenn das Kind auf Vorzeigen mindestens zweimal
hintereinander die Gegenstände richtig zuordnet. Es kann dabei den in seiner Hand
befindlichen Löffel zu den anderen Löffeln legen oder dazu einen zweiten Löffel in die
andere Hand nehmen.
Wenn das Kind **vorwiegend** richtig zuordnet, ihm aber dabei manchmal Fehler unterlaufen, so gilt die Aufgabe als **halb gekonnt.**
Erfolgt die Zuordnung rein zufällig, so ist sie **nicht gekonnt.**

A. 20. Schüttelt Kopf als »Nein« ☐

Drückt das Kind eine Nein-Geste durch Kopfschütteln aus?

Es genügt für die Aufgabenlösung, wenn es seinen Kopf als Zeichen der Ablehnung
oder des Widerwillens schüttelt. Dabei ist es gleich, ob das Kind dabei das Wort
»nein« ausspricht oder nicht.
Gebraucht es diese Nein-Geste nur selten, so ist die Aufgabe als nur **halb gekonnt**
anzusehen.
Wird das Kopfschütteln nicht sinnvoll angewandt, so gilt dies als **nicht gekonnt.**

A. 21. Sieht beim Turmbau zu ☐

Verfolgt das Kind mit seinen Augen das Bauen eines Turmes?

Bauen Sie vor den Augen des Kindes einen Turm aus mindestens 10 Bauklötzen. Es ist erlaubt, den Vorgang des Bauens sprachlich zu kommentieren, um seine optische Aufmerksamkeit zu erwecken.

Die Aufgabe ist **gekonnt,** wenn das Kind mehrmals während der verschiedenen Bauphasen für jeweils einige Sekunden das Entstehen des Bauwerkes aufmerksam verfolgt.

Weitere Wertung entsprechend Aufgabe A. 13.

A. 22. Findet ausgetauschte Dose ☐

Ist das Kind in der Lage, den neuen Ort eines sichtbar ausgetauschten Behälters optisch zu registrieren?

Legen Sie zwei gleiche Dosen oder Schachteln jeweils rechts und links vor das Kind auf den Tisch. Nun zeigen Sie ihm einen kleinen begehrenswerten Spielgegenstand oder eine Süßigkeit. Tun Sie nun den Gegenstand langsam und für das Kind sichtbar in eine der beiden Dosen, die Sie anschließend ebenso langsam austauschen. Die Dose mit dem begehrenswerten Gegenstand liegt nun auf der anderen Seite des Kindes. Beobachten Sie seine Reaktion.

Die Aufgabe gilt als **gekonnt,** wenn das Kind trotz des Ortswechsels sofort die richtige Dose ergreift oder auf sie zeigt.

Weitere Bewertung wie bei Aufgabe A. 13.

A. 23. Zeigt Körperteil an Puppe ☐

Kann das Kind einen vorgezeigten Körperteil an einer Puppe oder an einem Teddy zeigen?

Es dürfen dem Kind verschiedene Körperteile an sich selbst oder auf einer Abbildung vorgezeigt werden. Es genügt zur **Lösung** der Aufgabe, wenn es einen Körperteil (Auge, Mund, Ohren, Haare, Kopf, Bauch, Hände, Füße usw.) an einer Puppe oder einem Teddy zeigen kann.

Weitere Bewertung entsprechend Aufgabe A. 13.

A. 24. Ordnet zwei Dinge zum Bild ☐

Kann das Kind zwei Gegenstände zu den entsprechenden Abbildungen ordnen?

Suchen Sie zuvor in einfachen Bilderbüchern nach Abbildungen, die vorhandenen realen Gegenständen in etwa entsprechen: Bild eines Apfels, eines Brötchens, einer Tasse, eines Löffels, einer Schere, einer Puppe, eines Telefons, eines Balles usw. Man kann auch entsprechende Farbfotos von den jeweiligen Abbildungen machen, wobei die Abbildung haargenau mit dem Gegenstand übereinstimmt.

Legen Sie nun zwei Abbildungen vor das Kind hin und geben ihm einen Gegenstand, der einer dieser beiden Abbildungen entspricht. Wenn das Kind nicht weiß, was es damit machen soll, so ordnen Sie die Gegenstände ihren Abbildungen einige Male modellhaft zu. Danach soll es aber das Kind mit anderen Abbildungen selbst tun.

Die Aufgabe gilt als **gekonnt,** wenn das Kind zwei Gegenstände auf die richtigen der beiden ausgelegten Bilder legt und dies mehrmals wiederholen kann.

Werden die Gegenstände **vorwiegend** richtig zugeordnet, macht das Kind aber manchmal noch Fehler oder kann es nur einen der beiden Gegenstände auf das entsprechende Bild legen, so ist die Aufgabe nur **halb gekonnt.**

Erfolgt die Zuordnung rein zufällig, so gilt dies als **nicht gekonnt.**

Die Funktionen des zweiten Lebensjahres: B. Handmotorik

B. 13. Schlägt Dinge aneinander ☐

Kann das Kind zwei in den Händen gehaltene Gegenstände aneinanderschlagen?

Geben Sie dem Kind in jede Hand ein kleines Klötzchen, einen Hohlwürfel oder einen anderen kurzen Gegenstand. Ermuntern Sie es, daß es beides gegeneinander schlägt. Das Aneinanderschlagen darf vorgemacht bzw. auch die Hände des Kindes entsprechend geführt werden.

Die Aufgabe ist **gekonnt,** wenn das Kind selbständig die Klötze einige Male gegeneinander schlägt.

Reagiert das Kind bei dieser Aufgabe nur schwach oder wird die erwartete Reaktion nur selten beobachtet, so ist dies als **halb gekonnt** zu bewerten.

Bleibt die erwartete Reaktion aus, so gilt dies als **nicht gekonnt.**

B. 14. Räumt Dinge aus und ein ☐

Kann das Kind einen Kastendeckel öffnen und drei von fünf kleinen Gegenständen aus- und wieder einräumen?

In einem kleinen Holzkästchen, dessen Deckel leicht zu öffnen geht, sollen sich fünf kleine Spieldinge befinden, z. B. eine Klammer, ein Lego-Baustein, ein Plastiklöffelchen und so weiter.

Das Kind soll auf Vorzeigen oder aus eigenem Antrieb die Schachtel öffnen, die Gegenstände nacheinander herausnehmen und sie auf Aufforderung wieder in die Schachtel tun.

Die Aufgabe gilt als **gekonnt,** wenn das Kind drei der fünf darin befindlichen Gegenstände heraus- und wieder hineinbefördert.

Räumt es sie aus, aber nicht wieder hinein, oder werden weniger als drei Gegenstände aus- und eingeräumt, so ist die Aufgabe **halb gekonnt.**

Kann der Deckel nicht geöffnet werden oder wird der Inhalt des Kästchens einfach ausgeschüttet, so gilt dies als **nicht gekonnt.**

B. 15. Zeigt mit Zeigefinger ☐

Benutzt das Kind den Zeigefinger isoliert, indem es ihn aus der übrigen Hand herausdifferenziert?

Die Funktion gilt als **gekonnt,** wenn der Zeigefinger zum Zeigen oder zum »Aufpicken« von Krümeln verwendet wird.

Sie ist nur **halb gekonnt,** wenn das Kind noch nicht zeigt und »pickt«, seinen Zeigefinger aber in Löcher (z. B. in einem Hohlwürfel) hineinsteckt.

Ansonsten gilt die Funktion als **nicht gekonnt.**

B. 16. Wirft Dinge weg ☐

Kann das Kind einen Gegenstand mit beiden Händen wegwerfen?

Geben Sie dem Kind einen nicht zu großen Ball, einen Würfel oder dergleichen und bringen Sie es durch Aufforderung oder Vormachen dazu, ihn wegzuschmeißen.

Es genügt, wenn eine deutliche Wegwerfbewegung gemacht wird, an deren Ende der Ball oder Gegenstand auch wirklich losgelassen wird.

Weitere Bewertung wie bei Aufgabe B. 13.

B. 17. Trinkt allein aus Tasse ☐

Kann das Kind eine Tasse oder einen Becher beim Trinken selbst halten?

Geben Sie dem Kind einen gut halbvollen Becher zu trinken und beobachten Sie, ob das Kind allein damit fertig wird.

Die Aufgabe gilt als **gekonnt,** wenn es dabei nur wenig verschüttet.

Sie gilt als nur **halb gekonnt,** wenn viel verschüttet wird.

Kann das Kind nicht allein trinken, so gilt dies als **nicht gekonnt.**

B. 18. Packt Eingewickeltes aus ☐

Kann das Kind einen vor seinen Augen in Papier eingewickelten Gegenstand aus-packen?

Nehmen Sie einen Schreibbogen oder ein Stück Packpapier ähnlicher Größe und wickeln Sie darin einen kleinen begehrenswerten Gegenstand ein, z. B. Matchbox-Auto oder eine Süßigkeit. Drehen Sie die Enden des Papieres so wie bei einem Bonbon ein.

Die Aufgabe ist **gekonnt,** wenn das Kind es irgendwie fertigbringt, das Eingewickelte unter Zuhilfenahme beider Händchen wieder zum Vorschein zu bringen.

Weitere Wertung wie bei Aufgabe B. 13.

B. 19. Steckt Scheiben auf Stab ☐

Kann das Kind zwei Holz-, Plastik- oder Pappscheiben mit den Löchern auf einen Stab stecken?

Nehmen Sie eine der üblichen Steckpyramiden oder fertigen Sie selbst einige Papp-scheiben an (Durchmesser etwa 10 cm), die Sie in der Mitte jeweils mit einem Loch versehen, groß genug, um die Scheiben über einen senkrecht hingehaltenen Holzstab zu stecken. Machen Sie das Aufstecken mehrere Male vor und fordern Sie das Kind durch Worte und Gesten auf, das gleiche zu tun.

Die Aufgabe ist **gekonnt,** wenn das Kind selbständig zwei Scheiben über den Stab stecken kann.

Kann es das nur mit einer Scheibe, so ist die Aufgabe **halb gekonnt.**

Wird noch keine Scheibe aufgesteckt, so gilt dies als **nicht gekonnt.**

B. 20. Baut Turm aus zwei Würfeln ☐

Kann das Kind zwei kleine Holzwürfel oder Plastikhohlwürfel so aufeinanderstellen, daß der obere nicht herunterfällt?

Machen Sie dem Kind das Aufeinanderbauen zweier Klötzchen vor und fordern Sie es anschließend auf, das gleiche zu tun. Die Klötzchen sollen gleich groß oder zu-mindest nicht sehr größenunterschiedlich sein.

Es genügt, wenn es zwei Würfel aufeinandertürmt. Baut es einen höheren Turm aus drei oder vier Würfeln, so dokumentiert es dadurch eine höhere Leistungsfähigkeit (vgl. Aufgabe B. 30.).

Weitere Bewertung gemäß Aufgabe B. 13.

B. 21. Öffnet Reißverschluß ☐

Kann das Kind einen Reißverschluß selbsttätig öffnen?

Sorgen Sie für verschiedene Gelegenheiten zum Reißverschluß-Öffnen: z. B. am Pullover des Vaters, am Rock oder Kleid der Mutter, an einer Reisetasche, einem Einkaufbeutel, einer Kollegmappe und dergl. Ist der Reißverschlußgriff zu klein, so vergrößern Sie ihn durch Anbringen eines Schlüsselbundringes.

Das Kind soll den Reißverschluß selbständig öffnen. Dazu muß es mit der einen Hand ziehen, während die andere Hand dagegenhält.

Müssen kleine Hilfen gegeben werden, so ist diese Aufgabe nur **halb gekonnt.**

Zieht es gar nicht oder ohne Erfolg am Reißverschluß, so hat es die Aufgabe **nicht gekonnt.**

B. 22. Tut Rosine in Flasche ☐

Kann das Kind eine Rosine in eine Flaschenöffnung fallen lassen?

Nehmen Sie ein kleines Medizinfläschchen und zeigen Sie dem Kind mehrmals, wie man eine Rosine mit Daumen und Zeigefinger greift, um sie in die Flasche fallen zu lassen. Fordern Sie dann das Kind auf, dasselbe zu tun.

Schafft es das Kind ganz allein, so hat es die Aufgabe **gekonnt.**

Muß der Erwachsene helfen, weil das Fläschchen beim Hineintun des öfteren umkippt, so gilt dies als **halb gekonnt.**

Erfolgloses Versuchen gilt als **nicht gekonnt.**

(Sie können, wenn Sie wollen, jetzt gleich die Aufgabe B. 27. überprüfen, weil hier ebenfalls das Fläschchen benötigt wird.)

B. 23. Kritzelt auf Papier ☐

Kann das Kind Striche oder Ecken malen?

Befestigen Sie ein Stück großes, derbes Papier (auch Packpapier) auf dem Tisch, an dem das Kind sitzt. Nehmen Sie einen Filzstift und machen Sie sichtbar einige kurze Striche am oberen Ende des Papierbogens. Geben Sie dann den Stift in die Hand des Kindes und beobachten Sie, ob das Kind absichtlich einige eckige oder gradlinige Striche auf das Papier kritzelt.

Die Aufgabe gilt als **gekonnt,** wenn das Kind absichtlich – d. h. wenn es dabei hinsieht – mehr als eine Kritzelform (Strich oder eckige Hin- und Herbewegung) ausführt.

Sie gilt als **halb gekonnt,** wenn das Kind mit Absicht nur einen Strich oder eine eckige Zacke malt.

Unbeabsichtigtes Kritzeln ohne Augenkontrolle sowie Punkte und Tupfer werden als **nicht gekonnt** bewertet.

B. 24. Zieht Kleidung aus ☐

Kann das Kind ein Kleidungsstück wie Strumpf oder Hose ausziehen?

Das Abnehmen einer Mütze oder das Herunterstreifen von Windeln gehört nicht zu dieser Prüfung.

Die Aufgabe ist **gekonnt,** wenn es z. B. Strümpfe, Schuhe, Unterhöschen, kurze oder lange Hose, Jacke oder Mantel ausziehen kann.

Die Aufgabe ist als **halb gekonnt** zu bewerten, wenn das Kind eines der angegebenen Kleidungsstücke nur mit große Mühe oder sehr selten auszieht.

Kann es noch kein Kleidungsstück ausziehen, so gilt dies als **nicht gekonnt.**

Die Funktionen des zweiten Lebensjahres: C. Körpermotorik

Anmerkung: Die folgenden Aufgaben gelten als **gekonnt,** wenn das Kind die angegebenen Funktionen sicher und gleichbleibend beherrscht.

Sie gelten als **halb gekonnt,** wenn die betreffende Leistung zwar schon hin und wieder vollbracht wurde, es aber doch noch an der nötigen Sicherheit mangelt.

Die Aufgaben sind als **nicht gekonnt** zu bewerten, wenn das Kind zu der angegebenen Leistung noch nicht imstande ist.

C. 13. Geht mit Halt an Möbeln ☐

Kann das Kind seitlich an Möbeln entlang oder um sie herum gehen, indem es sich daran festhält?
Wertung gemäß Anmerkung.

C. 14. Schiebt Kinderwagen ☐

Kann das Kind einen Kinderwagen oder Puppenwagen vorwärts schieben, indem es sich an der Deichsel festhält?
Wertung gemäß obenstehender Anmerkung.

C. 15. Steht allein, geht allein ☐

Kann das Kind 10 Sekunden lang breitbeinig auf einem Fleck stehen, ohne die Balance zu verlieren?
Kann es 10 Schritte ohne hinzufallen vorwärts gehen?
Nur wenn beides gekonnt wird, gilt die Aufgabe als **gekonnt.**
Wird nur eine Funktion beherrscht, gilt dies als **halb gekonnt.**

C. 16. Hebt im Bücken Dinge auf ☐

Kann das Kind sich nach einem am Boden liegenden Spielzeug vorn überbeugen, es aufheben und sich dann wieder aufrichten?
Wertung gemäß obenstehender Anmerkung.

C. 17. Steht ohne Hilfe auf ☐

Kann sich das Kind vom Sitzen auf dem Boden über die Vierfüßlerstellung zum Stand aufrichten?
Wertung gemäß vorstehender Anmerkung.

C. 18. Treppenkrabbeln auf Bauch ☐

Kann das Kind auf irgendeine Weise selbständig eine nicht zu steile Treppe hinauf- und wieder rückwärts herabkrabbeln?
Kann es nicht wieder allein hinuntergelangen, so gilt die Aufgabe als **halb gekonnt.**

C. 19. Hebt gehockt Dinge auf ☐

Kann das Kind ein am Boden liegendes Spielzeug dadurch aufheben, daß es in die tiefe Hocke hinuntergeht und sich anschließend wieder zum Stand aufrichtet?
Es darf sich dabei mit den Händen am Boden abstützen.
Wertung gemäß vorstehender Anmerkung.

C. 20. Rennt 5 Meter ohne Hinfallen ☐

Kann das Kind eine Strecke von 5 Metern schnell geradeaus rennen, ohne dabei das Gleichgewicht zu verlieren?
Die Arme dürfen dabei zur Sicherung des Gleichgewichts hochgenommen werden.
Bei zu langsamem Lauftempo ist die Aufgabe als nur **halb gekonnt** zu werten.

C. 21. Geht rückwärts ☐

Kann das Kind 5 Schritte rückwärts gehen, ohne dabei zu fallen?

Diese Funktion wird meist gebraucht, wenn das Kind ein Spielzeug auf Rädern rückwärts gehend hinter sich herzieht.
Wertung gemäß vorstehender Anmerkung.

C. 22. Treppauf mit Geländer ☐

Kann das Kind eine Treppe selbständig hinaufsteigen, indem es sich mit seinen Händen am Geländer abstützt?
Bewertung gemäß vorstehender Anmerkung.
(Treppabgehen vgl. Aufgabe C. 27.).

C. 23. Ersteigt Stuhl, faßt Lehne ☐

Kann das Kind ohne Hilfe auf einen Stuhl steigen und dort aufrecht stehen, indem es sich an der Stuhllehne anhält?
Wertung gemäß vorstehender Anmerkung.

C. 24. Fußballstoß ohne umzufallen ☐

Kann das Kind einen Ball mit dem Fuß kräftig wegstoßen, ohne dabei das Gleichgewicht zu verlieren?
Wertung gemäß vorstehender Anmerkung.

Die Funktionen des zweiten Lebensjahres: D. Sprache

D. 13. Kaut mühelos feste Nahrung ☐

Kann das Kind auch mit fester Nahrung in Form von Brothäppchen und ähnlichem fertig werden?
Die Funktion ist **gekonnt**, wenn die »Mundgeschicklichkeit« so gut entwickelt ist, daß das Kind die Nahrungsteile während des Kauens mit der Zunge im Munde rotiert und seitlich hin und her befördert.
Werden die Häppchen nur unvollständig gekaut und dann unter Würgen hinuntergeschluckt, so ist dies mit **halb gekonnt** zu bewerten.
Bringt das Kind feste Nahrungsteile wieder heraus, ohne sie durch Kauen verkleinert und zerdrückt zu haben, so gilt dies als **nicht gekonnt**.

D. 14. Laute als Wunschäußerung ☐

Kann das Kind seine Wünsche in irgendeiner Form lautlich ausdrücken?
Wenn das Kind die Durchsetzung eines Wunsches, z. B. gefüttert oder aufgenommen zu werden, deutlich durch stimmliche Äußerungen unterstützt, so gilt dies als **gekonnt**.
Sind diese Lautäußerungen nur schwach und undeutlich, so gilt dies als **halb gekonnt**.
Fehlen sie ganz, so gilt dies als **nicht gekonnt**.

D. 15. Laute: a, o, u, m, b, p ☐

Gebraucht das Kind die 6 angegebenen Vokale (Selbstlaute) und Konsonanten (Mitlaute) und kann es sie nachsprechen?
Die Aufgabe ist **gekonnt**, wenn diese Laute in der »Babysprache« des Kindes in irgendeiner Form vorkommen.
Bei nur 4 oder 5 dieser Laute gilt die Aufgabe als **halb gekonnt**.
Werden weniger als 4 der angegebenen Laute vom Kinde benützt, so gilt dies als **nicht gekonnt**.

Die Aufgabe kann auch dadurch geprüft werden, daß die betreffenden Laute vorgesprochen und vom Kind nachgesagt werden.

D. 16. Sagt zwei sinnvolle Worte ☐

Gebraucht das Kind zwei Worte, mit denen etwas Bestimmtes gemeint ist?
Es genügt, wenn es sich dabei der Kindersprache bedient und Worte wie »Mama«, »Balla«, »Wauwau« usw. gezielt verwendet.
Bei nur einem sinnvoll und spezifisch verwendeten Wort (z. B. Mama) ist die Aufgabe **halb gekonnt**.

D. 17. Ahmt zwei Tierlaute nach ☐

Kann das Kind zwei Tierlaute, die man ihm häufig genug vormacht, imitieren?
Die Aufgabe wird als **gekonnt** bewertet, wenn es mindestens zwei Tierlaute nachmachen kann, z. B. »Muh Muh«, »Wauwau«, »Miau«, »Piep Piep«.
Nur ein imitierter Tierlaut ist mit **halb gekonnt** zu bewerten.

D. 18. Ahmt zwei Worte nach ☐

Kann das Kind zwei Worte aus der Erwachsenensprache nachsagen?
Die Aufgabe gilt als **gekonnt,** wenn zwei der folgenden Worte nachgesprochen werden können: Auto, Ball, Baum, Bett, Teddy, Puppa (Puppe, Püppi).
Bei nur einer Wortnachahmung ist **halb gekonnt** einzusetzen.

D. 19. Einwortsatz als Wunsch ☐

Kann das Kind mit einem Wort einen Wunsch ausdrücken?
Es genügt, daß es z. B. »papp papp«, »happa« oder »ham« sagt, wenn es etwas zu essen haben möchte, oder wenn es mit dem Wort »Balla« ausdrücken möchte, daß man ihm den Ball geben soll.
Wenn solche Wunschäußerungen in Form eines Wortes vom Kinde nur selten gebracht werden, gilt dies als **halb gekonnt**.

Anmerkung: Reiht das Kind mehrere Worte als Wunschausdruck aneinander, so ist dies eine höhere Leistung (vgl. Aufg. D. 29. und D. 34.)

D. 20. Laute: n, l, d, t, w, f ☐

Kann das Kind die angegebenen 6 Konsonanten (Mitlaute) aussprechen?
Bewertung wie bei Aufgabe D. 15.

D. 21. Verwendet 5 Wörter ☐

Sagt das Kind aus eigenem Antrieb 5 sinnvolle Wörter?
Stellen Sie fest, ob das Kind bestimmte Wörter für Personen, Gegenstände oder Tätigkeiten in der Erwachsenen- oder Babysprache verwendet. Die Wörter »Mama« und »Papa« dürfen dabei mitgezählt werden.
Soll die Aufgabe als **halb gekonnt** bewertet werden, so müssen mindestens 3 Wörter, d. h. mindestens eins außer Mama und Papa, sinnvoll verwendet werden.
Verwendet es nur 2 Wörter (z. B. Mama und Papa), so gilt dies als **nicht gekonnt**.

D. 22. Benennt 3 Personen ☐

Ruft es 3 erwachsene oder kindliche Bezugspersonen mit Namen?

Es genügt, wenn es außer den Eltern noch ein Geschwister oder einen Verwandten mit seinem Vornamen oder einem ähnlich klingenden, aber immer gleich verwendeten Wort bezeichnet.

Werden nur 2 Personen beim Namen genannt, so gilt dies als **halb gekonnt.**

Bei nur einer Namensnennung ist die Aufgabe **nicht gekonnt.**

D. 23. Benennt 4 Dinge ☐

Kann das Kind 4 Gegenstände, Spielsachen oder Spieltiere auf Befragen benennen?

Es genügt, wenn die Antworten in Babysprache gegeben werden.

Werden nur 3 Dinge benannt, so ist dies mit **halb gekonnt** zu bewerten.

Bei nur 2 Benennungen ist die Aufgabe **nicht gekonnt.**

D. 24. Benennt 2 Tätigkeiten ☐

Verwendet das Kind aus eigenem Antrieb 2 Tätigkeitswörter?

Benützt es z. B. ein Wort für essen, trinken, schlafen, weggehen, wiederkommen usw.?

Verwendet das Kind spontan nur ein solches Tätigkeitswort, so ist die Aufgabe **halb gekonnt.**

Wird überhaupt kein Tätigkeitswort vom Kinde benützt, so gilt dies als **nicht gekonnt.**

Die Funktionen des zweiten Lebensjahres:
E. Akustische Wahrnehmung

E. 13. Blickt zur genannten Person ☐

Schaut das Kind auf die Frage »wo ist Mama?« in die entsprechende Richtung, um die genannte Person mit den Augen zu suchen?

Es genügt, wenn das Kind bei Nennung irgendeiner Person genau dorthin sieht. Dabei ist es gleich, ob es sich um Mama, Papa oder eine andere Vertrauensperson handelt. Die genannten Personen müssen natürlich im Zimmer anwesend sein.

Bei sicherer Reaktion ist die Aufgabe als **gekonnt** zu bewerten.

Ist die Reaktion des Kindes nicht deutlich oder wird sie nur selten beobachtet, so ist die Aufgabe **halb gekonnt.**

Bleibt die Reaktion aus, so gilt dies als **nicht gekonnt.**

E. 14. Mundbewegung bei »ham«, »happa« ☐

Reagiert das Kind auf ein Wort, das die Nahrungsaufnahme ankündigt, mit erwartungsvollem Öffnen und Schließen des Mundes oder mit Leckbewegungen der Zunge?

Kündigen Sie, bevor Sie das Fläschchen dem Kinde zeigen, den Vorgang der Nahrungsaufnahme durch ein Wort entsprechender Bedeutung an. Sagen Sie z. B. »Fläschchen«, »essen«, »pap pap« oder ein ähnliches Wort. Dieses Reizwort soll eine Erwartungshaltung beim Kinde auslösen.

Die Aufgabe ist **gekonnt,** wenn an seinen körperlichen Reaktionen (Lecken, Mundöffnen, Körperzittern, Handflattern) deutlich sichtbar wird, daß es Nahrung erwartet. Weitere Wertung wie bei Aufgabe E. 13.

E. 15. Befolgt: Komm her zu mir ☐

Kann das Kind den Wortsinn einer Aufforderung zum Herkommen verstehen und entsprechend reagieren?

Wichtig: Machen Sie keine Geste des Heranwinkens, während Sie die Worte sagen. Fordern Sie das Kind nur freundlich auf, zu Ihnen zu kommen.

Wenn Sie nicht ganz sicher sind, so machen Sie eine Gegenprobe, z. B. indem Sie sagen: »Geh mal zum Papa!« Hüten Sie sich aber wieder davor, eine Handbewegung in Richtung der genannten Person zu machen.

Reagiert das Kind allein auf den Wortlaut einer dieser beiden Aufforderungen, so ist die Aufgabe **gekonnt.**

Weitere Bewertung wie bei Aufgabe E. 13.

E. 16. Macht auf Geheiß: Bitte ☐

Kann das Kind auf Aufforderung »bitte bitte« machen, indem es die Handflächen gegeneinander klatscht?

Wichtig: Deuten Sie nicht die Handbewegung des Klatschens an.

Wertung wie bei Aufgabe E. 13.

E. 17. Versteht: Mund auf! ☐

Befolgt das Kind die Anweisung, seinen Mund aufzumachen?

Wichtig: Es soll dabei nicht auf den Mund gezeigt oder das Mundaufmachen vorgemacht werden.

Wertung wie bei Aufgabe E. 13.

E. 18. Reagiert auf seinen Namen ☐

Hört das Kind auf seinen Namen, und blickt es Sie jedesmal erwartungsvoll an?

Rufen Sie seinen Namen, wenn es Ihnen den Rücken zudreht. Prüfen Sie seine Reaktion bei verschiedenen Gelegenheiten.

Die Aufgabe ist **gekonnt,** wenn das Kind vorwiegend auf Nennung seines Namens reagiert, indem es sich umdreht und die rufende Person ansieht.

Weitere Wertung wie bei Aufgabe E. 13.

E. 19. Zeigt zwei benannte Personen ☐

Deutet das Kind mit der Hand oder mit dem Finger nacheinander auf zwei benannte Beziehungspersonen?

Durchführung und Wertung wie bei Aufgabe E. 13. Das Kind soll aber nicht nur in Richtung der genannten Person blicken, sondern eine Zeigebewegung ausführen.

E. 20. Zeigt vier benannte Dinge ☐

Kennt das Kind die Bezeichnungen für vier Gegenstände seiner näheren Umgebung und zeigt es auf Geheiß darauf?

Sorgen Sie vorher dafür, daß einige Spiel- oder Gebrauchsgegenstände, die das Kind kennt, in seinem Blickfeld liegen. Fragen Sie es dann: »Wo ist das Auto?« »Zeig mir den Löffel!«

Die Aufgabe gilt als **gekonnt,** wenn das Kind auf vier Dinge zeigt.

Kann es nur auf zwei bis drei Dinge zeigen, so gilt das als **halb gekonnt.**

Bei nur einer richtigen Reaktion ist die Aufgabe **nicht gekonnt.**

E. 21. Zeigt benannten Körperteil ☐

Kann das Kind einen genannten Teil seines Körpers an sich selbst zeigen?

Sagen Sie: »Wo sind Deine Augen?« (desgleichen Mund, Nase, Haare, Hände, Füße, Bauch usw.).

Wichtig: Zeigen Sie weder bei sich noch beim Kind in Richtung auf den Körperteil. Das Kind soll allein vom Wort her reagieren.

Es genügt, wenn das Kind einen Körperteil an sich selbst oder an seiner Beziehungsperson richtig zeigt.

Weitere Wertung wie bei Aufgabe E. 13.

E. 22. Versteht: Möchtest Du . . .? ☐

Reagiert das Kind auf die Frage: »Möchtest Du noch einen Keks?«

Fragen Sie das Kind bei verschiedenen Gelegenheiten, ob es noch etwas zu essen oder zu spielen haben möchte.

Die Aufgabe gilt als **gekonnt,** wenn das Kind durch Kopfnicken oder Kopfschütteln oder auch durch »ja« oder »nein« antwortet.

Wenn Sie es mehrmals fragen müssen und das Kind nur manchmal richtig reagiert, so gilt dies als **halb gekonnt.**

Zeigt es keine Reaktion, so ist die Aufgabe **nicht gekonnt.**

E. 23. Versteht: eia und heia ☐

Reagiert das Kind auf entsprechende Aufforderungen zum Zärtlichsein und zum Schlafengehen?

Sagen Sie ihm: »Mach mal eia!« (sei mal zärtlich) und beobachten Sie, ob es Sie mit seinen Händchen streichelt oder sein Köpfchen an Sie schmiegt.

Sagen Sie: »Mach jetzt heia!« (schlaf jetzt) und beobachten Sie, ob sich das Kind daraufhin hinlegt, die Augen schließt oder wenigstens so tut als ob.

Zeigt das Kind durch seine Reaktionen ein Sprachverständnis für beide Aufforderungen, so ist dies als **gekonnt** zu bewerten.

Bei nur einer richtigen Reaktion ist die Aufgabe **halb gekonnt.**

Reagiert es überhaupt nicht, so gilt dies als **nicht gekonnt.**

E. 24. Versteht: ata, teita (ausfahren) ☐

Versteht das Kind irgendeine Ankündigung für Ausfahren, Spazierengehen oder Einkaufen?

Sagen Sie dem Kind: »Wollen wir ata gehen?« (Autofahren od. ähnl.).

Wichtig: Es dürfen keine Vorbereitungen vorausgegangen sein, an denen das Kind optisch erkennen könnte, welche Handlung jetzt bevorsteht. (Nicht den Schlüsselbund schon in die Hand nehmen, nicht schon den Mantel vom Haken nehmen, Schuhe anziehen oder die Einkaufstasche holen!)

Wenn das Kind allein von der Wortankündigung her eine Erwartungshaltung zeigt, freudig erregt ist und vielleicht schon in seinem Bettchen aufsteht, so ist dies als **gekonnt** zu bewerten.

Weitere Wertung wie bei Aufgabe E. 13.

Die Funktionen des dritten Lebensjahres:
A. Optische Wahrnehmung

A. 25. Ordnet zwei Größen zu ☐

Kann das Kind jeweils zwei gleich große und zwei gleich kleine Gegenstände optisch unterscheiden?

Schneiden Sie zwei große und zwei kleine Kreise aus Pappe aus, und legen Sie vor den Augen des Kindes mehrmals die beiden großen Kreise aufeinander und anschließend die beiden kleinen Kreise. Fordern Sie das Kind durch Worte und Gesten auf, das gleiche zu tun.

Die Aufgabe gilt als **gekonnt,** wenn die gleichen Größen aufeinander oder nebeneinander gelegt werden und dies nicht nur einmal, sondern mehrmals richtig durchgeführt wird.

Die Aufgabe ist nur **halb gekonnt,** wenn das Kind nicht eindeutig oder nur gelegentlich auf diese Weise reagiert.

Sie ist **nicht gekonnt,** wenn die erwartete Reaktion ganz ausbleibt oder nur rein zufällig erfolgt ist.

Da es sich um eine optische Aufgabe handelt, brauchen die Begriffe »groß« und »klein« nicht beherrscht zu werden.

A. 26. Ordnet zwei Farben zu ☐

Kann das Kind zwei verschiedene Farben optisch unterscheiden?

Man prüft das durch vier in Größe und Form gleiche Gegenstände, von denen zwei rot und zwei andersfarbig, z. B. grün sein sollen. Dabei kann man beispielsweise je zwei rote und zwei weiße Legosteine vor den Augen des Kindes zusammenordnen. Anschließend soll es die Aufgabe allein versuchen.

Bewertung wie bei Aufgabe A. 25.

Die Farbbezeichnung braucht nicht beherrscht zu werden.

A. 27. Ordnet zwei Formen zu ☐

Kann das Kind zwei geometrische Formen optisch unterscheiden?

Schneiden Sie je zwei Pappkreise und zwei Pappdreiecke gleicher Größe aus und ordnen Sie vor dem Kind Kreis zu Kreis und Dreieck zu Dreieck. Fordern Sie es dann auf, das gleiche zu tun.

Wertung wie bei Aufgabe A. 25.

Die Formenbezeichnung »Kreis« und »Dreieck« braucht nicht gekonnt zu werden.

A. 28. Kennt Nachbarn und Besuch ☐

Ist das Kind in der Lage, die nächsten Nachbarn oder häufig zu Besuch kommende Bekannte wiederzuerkennen?

Die Aufgabe gilt als gekonnt, wenn das Kind Wiedersehensfreude bei ihrem Anblick zeigt. Das wird am ehesten der Fall sein, wenn es sich um freundliche und dem Kinde zugewandte Erwachsene handelt.

Weitere Bewertung wie bei Aufgabe A. 25.

A. 29. Sortiert Löffel und Gabeln ☐

Kann das Kind je 5 Löffel und 5 Gabeln zusammenordnen?

Die Aufgabe gilt als **gekonnt,** wenn Löffel und Gabeln in einem jeweils getrennten Haufen zusammengelegt werden.

Weitere Wertung entsprechend Aufgabe A. 25.

A. 30. Sortiert zwei Paar Lottobilder ☐

Kann das Kind zwei verschiedene Abbildungen unterscheiden?

Von den 4 Bildern, welche dem Kind vorgelegt werden, sind jeweils 2 völlig gleich. Diese beiden jeweils gleichen Buntbilder sollen zusammengeordnet werden. Man kann Lottobilder oder auch je 2 gleiche Farbfotos verwenden.

Die Aufgabe gilt als **gekonnt,** wenn mehrmals hintereinander die richtigen Bilder aufeinander oder nebeneinander gelegt werden.

Weitere Wertung vgl. Aufgabe A. 25.

A. 31. Kennt seine Kleidung ☐

Findet das Kind mindestens zwei seiner Kleidungsstücke aus anderen heraus?

Es sollen dem Kinde 6 Kleidungsstücke vorgelegt werden, wovon 3 eigene und 3 fremde Kleidungsstücke sein sollen. Aus diesem Haufen gilt es, wenigstens 2 der eigenen Kleidungsstücke (z. B. Pullover, Hose, Strumpf, Schuh) herauszusuchen. Die Aufgabe gilt damit als **gekonnt.**

Wird nur ein Kleidungsstück als das eigene erkannt, so ist die Aufgabe nur **halb gekonnt.**

Erfolgt die Auswahl rein zufällig, gilt dies als **nicht gekonnt.**

A. 32. Sortiert Tee- und Eßlöffel ☐

Kann das Kind jeweils 5 Teelöffel und 5 Eßlöffel optisch einander zuordnen?

Durchführung und Wertung wie bei Aufgabe A. 25.

A. 33. Findet zwei versteckte Dinge ☐

Kann sich das Kind an zwei kurz vorher sichtbar versteckte, begehrenswerte Gegenstände erinnern?

Verstecken Sie, während das Kind beobachtend auf dem Schoß des Vaters oder der Mutter oder auf einem Stühlchen sitzt, zwei seiner Lieblingsspielzeuge oder zwei Süßigkeiten. Legen Sie vor den Augen des Kindes z. B. den Teddy hinter ein Sofakissen und das Spielauto unter den Teppich.

Die Aufgabe gilt dann als **gekonnt,** wenn beide Gegenstände wieder zum Vorschein gebracht werden.

Erinnert sich das Kind nur an den Ort einer der beiden Gegenstände, so ist die Aufgabe nur **halb gekonnt.**

Findet es nichts wieder, ist die Aufgabe **nicht gekonnt.**

A. 34. Erkennt Orte wieder ☐

Kann sich das Kind an Örtlichkeiten seiner näheren oder weiteren Umgebung erinnern?

Es geht hier um die Fähigkeit des Wiedererkennens von Gebäuden, Plätzen, Straßen, Brücken, Teichen, Flüssen, Bäumen usw.

Die Aufgabe gilt als **gekonnt,** wenn das Kind zu verschiedenen Gelegenheiten durch Zeigen, Ausrufe und freudige Erregtheit zu erkennen gibt, daß es die Post, den Fleischerladen, das Haus, in dem Bekannte wohnen, oder einen anderen Ort wiedererkannt hat.

Weitere Bewertung entsprechend Aufgabe A. 25.

A. 35. Erkennt Tätigkeit im Bild ☐

Kann das Kind die Art einer Tätigkeit, wie sie in einer Abbildung dargestellt ist, erkennen?

Zeigen Sie dem Kind Bilder, auf denen Personen etwas tun, z. B. essen, sich kämmen, telefonieren, mit dem Ball spielen oder Blumen gießen. Fragen Sie es, was die Person auf dem Bild macht.

Kann das Kind noch nicht antworten, so soll es durch Gesten oder mit Gegenständen zeigen, daß es die abgebildete Tätigkeit erkannt hat. Zu diesem Zweck legt man z. B. einen Kamm, einen Ball oder ein Gießkännchen neben das Kind und fordert es durch Worte und Gesten auf zu zeigen, was auf dem Bild geschieht.

Für eine richtige Aufgabenlösung genügt es, wenn zwei Tätigkeiten richtig nachgeahmt oder genannt werden.

Muß der Erwachsene Hilfen geben oder erkennt das Kind nur eine Tätigkeit, so ist die Aufgabe nur **halb gekonnt.**

Kann das Kind bei keinem der Bilder durch Worte oder Gesten ausdrücken, um welche Tätigkeit es sich handelt, so gilt die Aufgabe als **nicht gekonnt.**

A. 36. Unterscheidet eins und viel ☐

Kann das Kind die beiden extrem unterschiedlichen Mengen »eins« und »viel« optisch unterscheiden?

Nehmen Sie aus einem mit Knöpfen, Kastanien, Legosteinen oder Glaskugeln gefüllten Behälter eine einzige Kugel heraus und zeigen Sie diese dem Kinde, indem Sie ihm die offene Hand hinhalten. Nehmen Sie mit der anderen Hand ebenfalls eine Kugel aus dem Kasten und legen Sie diese in die offene Hand des Kindes. Halten Sie Ihre Hand zum Vergleich hin. Nun werden beide Kugeln wieder zurückgeschüttet. Danach nehmen Sie wieder eine Kugel in Ihre Hand und fordern Sie das Kind durch Worte und Gesten auf, genauso viel (nämlich eins) in sein Händchen zu nehmen.

Wiederholen Sie den Vorgang, indem Sie statt einer Kugel viele Kugeln herausholen und auf ihre offene Hand legen. Fordern Sie das Kind auf, das gleiche zu tun. Das Spiel soll einige Male wiederholt werden, wobei zwischen der Menge eins und viel gewechselt wird.

Die Leistung gilt als **gekonnt,** wenn das Kind jedesmal die richtige Menge, die ihm in der offenen Hand zuvor gezeigt wurde, herausnimmt.

Unterlaufen dem Kinde mitunter Fehler, löst es die Aufgabe aber vorwiegend richtig, so ist eine **halbe Aufgabenlösung** anzurechnen.

Bei häufig falscher Reaktion gilt die Aufgabe als **nicht gekonnt.**

Die Bezeichnungen »eins« und »viel« können unterstützend genannt werden; ihre Bedeutung braucht aber vom Kinde nicht gewußt werden.

Die Funktionen des dritten Lebensjahres: B. Handmotorik

B. 25. Blättert Buchseiten um ☐

Kann das Kind zwei einzelne Seiten im Bilderbuch umblättern?

Sehen Sie sich zusammen mit dem Kind ein Bilderbuch an, indem Sie dabei nacheinander einige Seiten umblättern. Lassen Sie es dann mit dem Buch allein und beobachten Sie, ob das Kind in der Lage ist, das Umblättern selbst auszuführen.

Blättert es zweimal eine Einzelseite um, so ist die Aufgabe als **gekonnt** zu bewerten.

Blättert es nur einmal eine Einzelseite um und sonst immer mehrere Seiten auf einmal, so ist die Aufgabe **halb gekonnt.**

Kann das Kind das Umblättern noch gar nicht ausführen, so gilt das als **nicht gekonnt.**

B. 26. Steckt Stock ins Rohr ☐

Kann das Kind ein kleines Stöckchen in eine Papproöhre einführen?

Übergeben Sie dem Kind ein Pappröhrchen, wie es bei Toilettenrollen oder sonstigen Haushaltspapierrollen verwendet wird. Nehmen Sie ein kleines Bambus- oder Blumenstöckchen (auch notfalls Bleistift) und führen Sie es in das Röhrchen ein.

Das Kind soll nach Herausfallen des Stöckchens von selbst versuchen, es wieder in das Rohr hinein- oder hindurchzustecken, indem es Stock und Rohr selbst hält. Die Aufgabe gilt als **gekonnt,** wenn das Kind dies aus eigenem Antrieb tut.

Tut es das erst, wenn es dazu aufgefordert wird, so ist die Aufgabe als **halb gekonnt** zu bewerten.

Muß dem Kind geholfen werden, z. B. durch Halten der Pappröhre oder Führen des Händchens, so gilt dies als **nicht gekonnt.**

B. 27. Kippt Perle aus Flasche ☐

Kann das Kind eine Perle oder Rosine aus einem kleinen Fläschchen herauskippen?

Machen Sie dem Kind die Übung einmal vor und fordern Sie es auf, es Ihnen nachzumachen.

Die Aufgabe ist **gekonnt,** wenn das Kind die Perle (Rosine) durch Umdrehen der Flasche auf den Tisch oder in seine Hand kippt und dies mehrmals wiederholen kann.

Erfolgt diese Reaktion nur gelegentlich, so gilt das als **halb gekonnt.**

Erfolgt sie gar nicht, gilt die Aufgabe als **nicht gekonnt.**

B. 28. Wirft Ball überkopf zu ☐

Wirft das Kind einem Erwachsenen einen Tennisball einhändig durch Erheben des Armes über den Kopf zu?

Zeigen Sie dem Kind mehrere Male, wie man mit dem Arm eine Ausholbewegung über den Kopf macht, und werfen Sie den Ball demonstrativ einige Male weg oder noch besser einem anderen Untersucher zu. Fordern Sie es nun auf, ihm den Ball überkopf zuzuwerfen.

Die Aufgabe gilt dann als **gekonnt,** wenn das Kind den Tennisball einhändig durch eine Ausholbewegung über den Kopf mindestens 1 Meter weit und deutlich erkennbar in Richtung auf den Erwachsenen wirft.

Stimmt die Richtung nicht ganz oder fliegt der Ball weniger als 1 m weit, so gilt die Aufgabe als **halb gekonnt.**

Wird weder Wurfweite noch Wurfrichtung vom Kinde kontrolliert, so daß der Ball zufällig irgendwo hinfliegt, so gilt dies als **nicht gekonnt.** Ebenfalls, wenn der Ball von unten geworfen wird.

B. 29. Ißt allein mit Löffel ☐

Kann das Kind einen mit Brei gefüllten Löffel ohne Kleckern zum Munde führen?

Es genügt, wenn es während des Essens den Löffel zweimal ohne Kleckern selbständig zum Munde führt.

Gelingt ihm dies nicht, ohne etwas von dem Brei zu verschütten, so ist die Aufgabe nur **halb gekonnt.**

Kann das Kind den Löffel noch nicht allein benutzen, so ist diese Aufgabe als **nicht gekonnt** zu bewerten.

B. 30. Baut Turm aus 4 Würfeln ☐

Kann das Kind 4 gleich große oder wenig größenunterschiedliche Würfel aufeinanderbauen?

Die Aufgabe ist **halb gekonnt,** wenn nur 3 Würfel aufeinandergebaut werden.

Sie ist **nicht gekonnt,** wenn der Turm nur mit 2 Würfeln gelingt.

B. 31. Steckt Kette ins Rohr ☐

Kann das Kind eine Kette in ein Pappröhrchen hineingleiten lassen?

Nehmen Sie ein Pappröhrchen, wie bei Aufgabe B. 26. beschrieben. Statt eines Stöckchens wird eine Halskette oder eine Gardinenbleischnur verwendet. Man zeigt dem Kind, wie man diese Kette, am oberen Ende haltend, langsam von oben in die Pappröhre versenken kann. Das Röhrchen kann entweder auf dem Tisch stehen oder frei mit der anderen Hand gehalten werden.
Die Aufgabe gilt als **gekonnt,** wenn das Kind die Kette in das Röhrchen hinein-gleiten oder hindurchgleiten lassen kann.
Weitere Bewertung wie bei Aufgabe B. 26.

B. 32. Reiht Perlen auf Draht ☐

Kann das Kind zwei mittelgroße Perlen auf einen Kupferdraht ziehen?

Zeigen Sie dem Kind, wie man Perlen auf einen Draht, eine steife Plastikschnur oder einen Schnürsenkel mit versteiftem Ende auffädeln kann. Fordern Sie dann das Kind auf, es auch zu versuchen.
Die Aufgabe gilt als **gekonnt,** wenn das Kind 2 Perlen selbständig auffädeln kann.
Sie ist **halb gekonnt,** wenn es nur eine Perle auffädelt oder das Auffädeln zweier Perlen nur höchst selten gelingt.
Die Aufgabe ist **nicht gekonnt,** wenn das Kind keine Perle ohne Hilfe auf den Draht bekommt.

B. 33. Holt Bonbon mit Rechen ☐

Kann das Kind einen begehrten Gegenstand mit einem kleinen Rechen zu sich heran-holen?

Setzen Sie das Kind an einen Tisch und legen Sie einen begehrten Gegenstand, ein Stückchen Schokolade oder einen Keks an das andere Ende der Tischplatte, so daß das Kind es mit seinen Händchen nicht erreichen kann. Legen Sie einen kleinen Re-chen (oder ein Stöckchen mit einem Querstab am Ende) neben das Kind und beobach-ten Sie, ob es sich dieses Hilfsgegenstandes bedient, um an das begehrte Spielzeug oder an die Süßigkeit zu kommen.
Die Aufgabe ist **gekonnt,** wenn das Kind sich ohne Hinweis aus eigenem Antrieb des Rechens bedient.
Sie gilt nur als **halb gekonnt,** wenn man es ihm vorher zeigen mußte.
Kann es dann immer noch nicht an den Gegenstand gelangen, so ist dies mit **nicht gekonnt** zu bewerten.

B. 34. Faltet Papier ☐

Kann das Kind auf Vorzeigen einen Bogen Papier mit Hilfe beider Händchen falten?

Nehmen Sie einen Bogen Schreibpapier und zeigen Sie dem Kind, wie man diesen Bogen in der Mitte knickt und ihn dann durch beschwerendes Entlangstreichen längs der Knickstelle faltet. Es soll, nachdem es einige Male zugesehen hat, in der Lage sein, diesen Vorgang des Papierfaltens nachmachen zu können.
Wird der Bogen in der Mitte gefaltet, so ist die Aufgabe **gekonnt.** Stimmen die beiden Papierhälften nach dem Falten nicht überein, aber ist der Vorgang des Zusammen-faltens an sich richtig gemacht worden, so ist die Aufgabe als **halb gekonnt** anzurech-nen.
Sie gilt als **nicht gekonnt,** wenn kein Falten zustande kommt.

B. 35. Gießt von Becher zu Becher ☐

Kann das Kind Wasser von einem Becher in den anderen schütten, ohne daß Flüssigkeit danebenläuft?

Machen Sie ihm vor, wie man aus einem gut halbvoll gefüllten Becher Wasser in einen leeren Becher und zurück in das erste Gefäß schütten kann. Fordern Sie es auf, das gleiche zu tun.

Die Aufgabe ist **gekonnt,** wenn die Flüssigkeit ohne Verschütten nicht nur hin, sondern auch zurück in den ursprünglichen Becher geschüttet wird.

Kann das Kind diesen Vorgang nur **einmal ohne zu verschütten** ausführen, so gilt die Aufgabe als **halb gekonnt.**

Wird das Umgießen nur mit Verschütten bewältigt, so gilt das als **nicht gekonnt.**

B. 36. Malt Rundformen ☐

Kann das Kind runde Formen mit einem Stift auf Papier malen?

Geben Sie dem Kind Papier und Filzstift so wie bei Aufgabe B. 23 und fordern Sie es auf, Ihnen etwas Schönes zu malen. Wenn daraufhin kein spontanes Rundmalen geschieht, so zeichnen Sie ihm ein paar fortlaufende, spiralenförmige Rundformen vor. Fordern Sie es auf, es Ihnen nachzutun.

Malt das Kind spontan in runden, schwungvollen Bewegungen, so ist diese Aufgabe als **gekonnt** zu bewerten.

Mußten Sie ihm erst die Spiralenformen vormalen, bevor es sie nachmalt, so gilt dies als **halb gekonnt.**

Entstehen trotzdem vorwiegend eckige Formen und Striche, so gilt dies als **nicht gekonnt.**

Die Funktionen des dritten Lebensjahres: C. Körpermotorik

Anmerkung: Die folgenden Aufgaben gelten als **gekonnt,** wenn das Kind die angegebenen Funktionen sicher und gleichbleibend beherrscht.

Sie gelten als **halb gekonnt,** wenn die betreffende Leistung zwar schon hin und wieder vollbracht wurde, es aber doch noch an der nötigen Sicherheit mangelt.

Die Aufgaben sind als **nicht gekonnt** zu bewerten, wenn das Kind zu der betreffenden Leistung noch nicht imstande ist.

C. 25. Spielt in Kauerstellung ☐

Kann das Kind für etwa 10 Sekunden in tiefer Hockstellung am Boden spielen, ohne das Gleichgewicht zu verlieren?

Wertung gemäß vorstehender Anmerkung.

C. 26. Frei treppauf, nachgesetzt ☐

Kann das Kind ohne Anhalten am Geländer eine Treppe hinaufsteigen, indem es immer das gleiche Bein auf die nächsthöhere Stufe setzt und das andere nachzieht?

Wertung gemäß vorstehender Anmerkung.

C. 27. Treppab mit Geländer ☐

Kann das Kind eine Treppe allein hinabsteigen, indem es sich am Geländer anhält?

Wertung gemäß vorstehender Anmerkung.

C. 28. Ersteigt 3 Leitersprossen ☐

Kann das Kind ohne Hilfe 3 Sprossen oder Stufen einer Trittleiter hinaufsteigen?
Die Leistung gilt als **gekonnt,** wenn das Kind mit beiden Beinen auf der dritten Trittleiterplattform steht.
Zwei Sprossen gelten als **halb,** eine Sprosse als **nicht gekonnt.**

C. 29. Geht balancesicher ☐

Kann das Kind im Gehen auch bei herunterhängenden Armen das Gleichgewicht halten?
Gelegentliches geringes Armheben zum Ausgleich der Balance während des Gehens rechnet als **halb gekonnt.**
Öfteres und starkes Herumfuchteln mit den Armen gilt als Zeichen von Balanceunsicherheit und wird als **nicht gekonnt** bewertet.

C. 30. Beidbeinsprung am Boden ☐

Kann das Kind mit beiden Beinen gleichzeitig ein wenig vom Boden hochspringen?
Die Aufgabe gilt als **gekonnt,** wenn beide Füße den Boden gleichzeitig für einen Moment verlassen.
Weitere Wertung gemäß vorstehender Anmerkung.

C. 31. Geht 3 Meter auf Zehenballen ☐

Kann das Kind eine Strecke von 3 Metern unter Erheben auf die Zehenballen vorwärts gehen, ohne daß die Fersen den Boden berühren?
Bei nur 2 Metern gilt die Aufgabe als **halb gekonnt,** bei einem Meter als **nicht gekonnt.**

C. 32. Frei treppab, nachgesetzt ☐

Kann das Kind eine Treppe ohne Anhalten hinuntergehen, indem es jeweils einen Fuß vorsetzt und den anderen nachzieht?
Wertung gemäß vorstehender Anmerkung.

C. 33. Fußschlußstand, Augen zu ☐

Kann das Kind, während beide Füße, sich berührend, parallel ausgerichtet sind, die Augen für 10 Sekunden schließen, ohne dabei das Gleichgewicht zu verlieren?
Wenn die Arme zum Aufrechterhalten des Gleichgewichts angehoben werden, so ist die Aufgabe **halb gekonnt.**
Ortsveränderungen oder Augenöffnen während der vorgeschriebenen 10 Sekunden sowie ein Unterschreiten dieser Zeit gelten als **nicht gekonnt.**

C. 34. Rennt 15 Meter ohne Hinfallen ☐

Kann das Kind mit weit ausgreifenden Schritten und unter kräftigem Armrudern 15 Meter weit rennen, ohne dabei hinzufallen?
Bei 10 Metern gilt die Aufgabe als **halb gekonnt.**
Zu langsames Lauftempo oder eine Strecke unter 10 Meter gelten als **nicht gekonnt.**

C. 35. Anlaufsprung über Strich ☐

Kann das Kind mit einem kleinen Anlauf über einen Strich, eine Bodennaht oder eine Leiste hinwegspringen, indem es sich mit einem Bein abdrückt und mit dem anderen oder auf beiden Füßen landet?

Ein kurzes Abstoppen vor dem Hindernis ist erlaubt.
Springt das Kind statt mit einem Bein beidbeinig ab, so ist dies als **halb gekonnt** zu bewerten.
Macht es einen Schritt statt eines Sprunges, so ist die Aufgabe **nicht gekonnt.**

C. 36. Beidbeinsprung von Treppe ☐

Kann das Kind mit beiden Füßen zugleich von der untersten Treppenstufe abspringen?
Vornüberfallen mit Aufstützen der Hände ist erlaubt.
Verlassen die Füße die Treppenstufe nicht gleichzeitig, sondern kurz hintereinander, so ist dies als **halb gekonnt** zu bewerten.
Entsteht statt des Herabspringens mehr eine Schrittbewegung, so gilt die Aufgabe als **nicht gekonnt.**

Die Funktionen des dritten Lebensjahres: D. Sprache

D. 25. Verwendet 10 Wörter ☐

Beläuft sich der aktive Sprachschatz des Kindes auf mindestens 10 verschiedene Wörter?
Wenn es aus eigenem Antrieb nur 7 bis 9 Wörter benutzt, so ist dies mit **halb gekonnt** zu bewerten.
Werden weniger als 7 Wörter spontan gebraucht, so gilt dies als **nicht gekonnt.**

D. 26. Nennt sich beim Vornamen ☐

Verwendet das Kind, wenn es von sich spricht, seinen Vornamen?
Es genügt irgendeine selbst gewählte Abkürzung oder Verstümmelung des eigenen Vornamens.
Geschieht dies nur selten, so gilt dies als **halb gekonnt.**

D. 27. Sagt: da, weg, bitte, danke ☐

Verwendet das Kind das Wort »da«, wenn es etwas zeigen will?
Sagt es unwirsch »weg« oder »alleine«, wenn ein Erwachsener es bei irgendeiner Tätigkeit stört?
Bittet oder dankt es für etwas?
Es genügt, wenn 3 der angegebenen Wörter verwendet werden.
Gebraucht es nur ein oder zwei, so ist dies mit **halb gekonnt** zu bewerten.
Ansonsten gilt die Aufgabe als **nicht gekonnt.**

D. 28. Benennt zwei Eigenschaften ☐

Verwendet das Kind zwei Eigenschaftswörter richtig?
Sagt es z. B.: Heiß, kalt, groß, klein, lieb, schön usw.?
Bei Verwendung von nur einem Eigenschaftswort ist die Aufgabe als **halb gekonnt** zu bewerten.

D. 29. Spricht Zweiwortsatz ☐

Verwendet das Kind zwei oder auch mehrere Wörter im Sinne eines Satzes?
Es muß sich um die sinnvolle Kombination zweier Wörter handeln, z. B.: »Balla haben«, »ata gehen«, »Didi eß« (Didi möchte essen).

Die Aufgabe kann nur bei häufiger Verwendung des Zweiwortsatzes als **gekonnt** bewertet werden. Bei nur seltenem Gebrauch ist die Aufgabe **halb gelöst.**

Anmerkung: Zwei Wörter, die nicht im Sinne eines Satzes zusammenhängend gebraucht werden (z. B. danke schön), können nicht als Zweiwortsatz gewertet werden.

D. 30. Verwendet: der, die, das ☐

Gebraucht das Kind den bestimmten oder unbestimmten Artikel?

Ein Plus soll gegeben werden, wenn das Kind nicht nur »Baum« sagt, sondern in der Regel »der Baum« oder »ein Baum«.
Geschieht dies nur selten oder nur auf Aufforderung, so ist die Aufgabe **halb gekonnt.**

D. 31. Sagt: noch, wieder, viel ☐

Verwendet das Kind zwei der oben angegebenen Wörter sinnvoll?

Der Gebrauch nur eines Wortes wird als **halb gekonnt** bewertet.

D. 32. Wiederholt Viersilbensatz ☐

Kann das Kind in deutlicher Aussprache einen der beiden folgenden Sätze wiederholen: »Auto fahren« oder »Ich kann schwimmen«?

Bei undeutlicher, aber vollständiger Wiedergabe gilt die Aufgabe als **halb gekonnt.**
Unvollständige Wiedergabe gilt als **nicht gekonnt.**

D. 33. Fragt: was'n das? ☐

Fragt das Kind oft nach dem Namen von Dingen seiner näheren Umgebung?

Die Aufgabe gilt als **gekonnt,** wenn das Kind sich häufig fragend an den Erwachsenen wendet, um seinen Wortschatz dadurch zu vergrößern.
Fragt das Kind nur selten, so gilt dies als **halb gekonnt.**

D. 34. Spricht Dreiwortsatz ☐

Kombiniert das Kind spontan drei Wörter zu einem sinnvollen Satz?

Es soll z. B. sagen: »Uli will fahren«, »bitte Milch trinken« oder ähnliche Wortverbindungen.
Wertung der Aufgabe wie bei D. 29 (Zweiwortsatz).

D. 35. Spricht mit Puppe, Teddy ☐

Unterhält sich das Kind im sinnvollen Spiel mit seiner Puppe oder seinem Teddy?

Es genügt, wenn es einige ihm bekannte Redewendungen, Zwei- und Dreiwortsätze sinnvoll anwendet, z. B.: »Teddy ist müde«, »Heia gehen«. Dazwischen darf das Kind ruhig im frei erfundenen Kauderwelsch mit seinem Spielpartner plaudern.
Spricht das Kind bei solchen Gelegenheiten allerdings nur in sinnlosem und zusammenhanglosem Kauderwelsch, ohne daß sinnvolle Wörter herauszuhören sind, so ist dies als **halb gelöst** zu bewerten.
Fehlen solche »Unterhaltungen« völlig, so gilt dies als **nicht gelöst.**

D. 36. Laute: r, s, sch, x, z ☐

Kann das Kind drei der angegebenen fünf Konsonanten (Mitlaute) richtig aussprechen?

Bitten Sie es, jeweils eins der beiden folgenden Wörter nachzusprechen: Bär oder Turm (für r), Haus oder Maus (für s), Fisch oder Tasche (für sch), Fuchs oder Büchse (für x), Zug oder Katze (für z).

Kann das Kind nur zwei dieser Wortpaare richtig nachsprechen, so wird dies mit **halb gekonnt** bewertet.

Bei nur einem richtig ausgesprochenen Konsonanten gilt die Aufgabe als **nicht gekonnt**.

Die Funktionen des dritten Lebensjahres: E. Akustische Wahrnehmung

E. 25. Kennt 20 Wortbedeutungen ☐

Versteht das Kind den Sinn und die Bedeutung von 20 Wörtern?

Zählen Sie zusammen, für welche Personen, Gegenstände oder Handlungen es den richtigen Namen oder die richtige Bezeichnung kennt.

Verfügt das Kind nur über einen Gedächtnisbesitz von 10 bis 19 Wortbedeutungen, so ist die Aufgabe **halb gekonnt**.

Weniger als 10 Wörter gelten als **nicht gekonnt**.

E. 26. Zeigt 8 benannte Dinge ☐

Kennt das Kind 8 Gegenstände seiner näheren Umwelt und kann es sie auf Benennung zeigen oder bringen?

Bei Kenntnis von nur 5 bis 7 Gegenstandsbezeichnungen ist die Aufgabe **halb gekonnt**.

Bei 4 oder weniger gilt dies als **nicht gekonnt**.

E. 27. Zeigt 4 benannte Personen ☐

Kann das Kind 4 Personen seiner näheren Umwelt bei Nennung ihrer Namen zeigen oder zu ihnen hingehen?

Bei Kenntnis von nur 3 Personennamen ist die Aufgabe als **halb gekonnt** zu bewerten. Kann sich das Kind weniger als 3 Namen merken, so gilt dies als **nicht gekonnt**.

E. 28. Versteht: wiedersehen, tschüß ☐

Versteht das Kind eine Wortbedeutung, die den Abschied einer Person ankündigt?

Wichtig: Es darf äußerlich nicht erkennbar sein, daß Sie in Kürze weggehen wollen. Sie dürfen also nicht schon angezogen sein, sich nicht schon zum Gehen wenden und dem Kind auch nicht zum Abschied zuwinken.

Die Aufgabe gilt als **gekonnt**, wenn das Kind bei den Worten »auf Wiedersehen, ich gehe jetzt!« in irgendeiner Form durch Mimik, Gestik, Körperbewegung, durch Weinen oder Worte reagiert. Es kann z. B. einen traurigen oder verzweifelten Gesichtsausdruck zeigen, die Händchen ausstrecken, aufstehen, um anzudeuten, daß es mitwill, spontan weinen, oder auch zufrieden und fröhlich winken, »tschüß« sagen und dergl. mehr.

Wenn das Kind keine eindeutig klaren Reaktionen zeigt, man aber annehmen kann, daß es die Bedeutung des Gesagten verstanden hat, so ist dies nur als **halb gekonnt** zu bewerten. Ebenso, wenn es nur selten darauf reagiert.

Reagiert es gar nicht, so ist die Aufgabe **nicht gekonnt**.

E. 29. Befolgt: Gib mir noch eins ☐

Versteht das Kind die Wortbedeutung »noch eins« und befolgt es einen entsprechenden Auftrag?

Nehmen Sie, wenn das Kind mit Legosteinen, Glaskugeln oder anderen kleinen Dingen einer gleichen Sorte spielt, eines davon in die Hand und fordern Sie es auf, Ihnen noch eins zu geben.
Eine entsprechend richtige Funktion ist als **gekonnt** zu bewerten.
Weitere Wertung wie bei Aufgabe E. 28.

E. 30. Befolgt: Leg Puppe heia ☐

Versteht das Kind den Auftrag, sein Püppchen schlafen zu legen?

Probieren Sie statt dieser Aufforderung auch andere Spielanregungen ähnlicher Art. Sagen Sie z. B.: »Gib deinem Teddy das Fläschchen!« »Kämm dem Püppchen die Haare!«
Es genügt, wenn das Kind eine dieser gegebenen Spielanweisungen befolgt.
Weitere Wertung wie bei Aufgabe E. 28.

E. 31. Versteht doppelte Ortsangabe ☐

Kann das Kind einen Gegenstand auf Anweisung auf ein Möbelstück in einem bestimmten Zimmer legen?

Sagen Sie etwa: »Bringe dein Höschen ins Schlafzimmer und lege es auf dein Bett!« Oder: »Stell diesen Teller auf den Tisch in der Küche!« Oder: »Tu deinen Ball in die Spielkiste auf dem Flur!«
Die Aufgabe gilt als bestanden, wenn das Kind einen dieser Aufträge richtig ausführt. Geht es nur in das Zimmer, hat aber die nähere Ortsangabe vergessen, so ist dies als **halb gekonnt** zu bewerten.
Bei falscher Ausführung gilt die Aufgabe als **nicht gekonnt**.

E. 32. Befolgt Doppelauftrag ☐

Kann das Kind sich den Auftrag für eine zweifache Handlung merken und ihn richtig ausführen?

Der Auftrag muß zwei verschiedene Tätigkeiten enthalten, z. B. »Bring dem Papa die Zeitung, und dann mach die Tür zu!« Oder: »Hebe bitte das Klötzchen vom Boden auf, und dann zieh deinen Strumpf hoch!«
Die Aufgabe kann nur für die Befolgung beider Aufträge als **gekonnt** gewertet werden.
Führt es nur eine Anweisung richtig aus, so ist die Aufgabe **halb gekonnt**.
Bei falscher Ausführung ist die Aufgabe **nicht gekonnt**.

E. 33. Zeigt 6 benannte Körperteile ☐

Kann das Kind 6 Körperteile auf Benennung an sich selber oder an einer anderen Person richtig zeigen?

Zeigt es nur 4 oder 5 Körperteile, so gilt dies als **halb gekonnt**.
Bei 3 oder weniger Teilen ist die Aufgabe **nicht gekonnt**.

E. 34. Zeigt Tätigkeit im Bild ☐

Kann das Kind auf einer von zwei Abbildungen eine benannte Tätigkeit richtig zeigen?

Legen Sie dem Kind zwei Bilder vor, auf welchen irgendwelche Handlungen dargestellt sind. Fragen Sie dann: »Auf welchem Bild läßt ein Kind einen Drachen steigen?« Oder: »Zeig mir, wo der Mann sich wäscht!« Oder: »Wo fährt hier ein Junge Dreirad?«
Die Aufgabe ist **gekonnt**, wenn zwei benannte Tätigkeiten richtig gezeigt werden.
Bei nur einer richtigen Reaktion gilt die Aufgabe als **halb gekonnt**.

Anmerkung: Bei stark sehbehinderten Kindern, die eine Abbildung schlecht erkennen können, sollen die entsprechenden Tätigkeiten real dargestellt werden. Dabei fragt man das Kind, wer sich wohl gerade die Zähne putzt, die Schuhe anzieht oder ein Buch liest.

E. 35. Hört zwei Schläge heraus □

Kann das Kind akustisch unterscheiden, ob ein oder zwei gleichartige Schlaggeräusche erzeugt werden?

Bitten Sie es, sich herumzudrehen und genau hinzuhören. Klatschen Sie dann einmal kräftig in die Hände oder klopfen Sie hörbar auf den Tisch. Sagen Sie dem Kind, es möchte nun genauso oft klatschen oder klopfen, wie es das gerade gehört hat. Macht es den einen Schlag richtig nach, so schlagen Sie deutlich zweimal kurz nacheinander. Wechseln Sie mehrmals zwischen einem und zwei Schlägen. Statt nachzuklatschen kann das Kind auch die Menge an den Fingern zeigen.

Wichtig: Das Kind darf nicht sehen, was Sie machen. Es soll nur lauschen.
Reagiert es in der Regel richtig, so gilt dies als **gekonnt**.
Macht es mehrfach Fehler, so ist die Aufgabe **halb gekonnt**.
Rein zufälliges Reagieren gilt als **nicht gekonnt**.

E. 36. Befolgt: Gib mir eins / viele □

Kennt das Kind die Mengenbegriffe »eins« und »viele«?

Spielen Sie mit dem Kind »Kaufladen« und sagen Sie: »Du hast so schöne Steine (Klötzchen, Kugeln usw.). Ich möchte eins kaufen.« Oder: »Von den wunderschönen Knöpfen möchte ich bitte gern ganz viele!«

Die Aufgabe ist als **gekonnt** zu bewerten, wenn das Kind diese beiden extrem unterschiedlichen Mengenbegriffe sicher beherrscht.

Werden ab und zu falsche Lösungen gebracht, überwiegen jedoch die richtigen Lösungen, so ist dies als **halb gekonnt** zu bewerten.

Überwiegen die falschen Lösungen oder rät das Kind, statt die Begriffe wirklich zu verstehen, so gilt dies als **nicht gekonnt**.

Die Funktionen des vierten Lebensjahres:
A. Optische Wahrnehmung

A. 37. Sortiert Grundfarben ☐

Kann das Kind die Farben Rot, Grün, Gelb und Blau optisch unterscheiden?

Nehmen Sie jeweils zwei rote, grüne, gelbe und blaue Plättchen, Würfel oder andere in Form und Größe gleiche Gegenstände. Ordnen Sie jeweils die beiden Gegenstände gleicher Farbe einander zu, indem Sie sie aufeinandertürmen oder nebeneinander legen. Bringen Sie anschließend alles wieder durcheinander und fordern Sie das Kind auf, die Farben wieder richtig zu sortieren.
Werden alle vier Farben richtig zugeordnet, so ist die Aufgabe **gekonnt**.
Bei nur zwei richtig zugeordneten Farben gilt die Aufgabe als **halb gekonnt**.
Nur eine Farbenzuordnung gilt als **nicht gekonnt**.
Die Farbbezeichnungen brauchen bei dieser Aufgabe nicht gewußt zu werden.

A. 38. Sortiert drei Längen ☐

Kann das Kind drei verschiedene Längen optisch unterscheiden?

Stellen Sie drei verschiedene Längen her, indem Sie jeweils zwei 5 cm, 10 cm und 20 cm lange Pappstücke, Stöckchen, Bleistifte oder auch nur Bindfadenstücke zurechtschneiden. Legen Sie vor den Augen des Kindes die zueinander passenden Längen nebeneinander: Links die beiden kurzen, dann die beiden mittellangen und rechts die beiden langen. Legen Sie alles wieder auf einen Haufen und fordern Sie das Kind auf, die Längen aufs neue zu sortieren.
Die Aufgabe gilt nur als **gekonnt**, wenn alle drei Längen richtig zugeordnet werden.
Kann das Kind nur zwei Längen sortieren, so gilt dies als **halbe Aufgabenlösung**.
Nur eine Längenzuordnung gilt als **nicht gekonnt**.

A. 39. Sortiert 5 Paar Lottobilder ☐

Kann das Kind fünf verschiedene Abbildungen unterscheiden?

Durchführung wie Aufgabe A. 30.
Die Aufgabe ist **gekonnt**, wenn das Kind mehrmals nacheinander alle 5 Bilderlotto-Paare zusammenlegt.
Sie gilt als **halb gekonnt**, wenn nur 3 bis 4 Bildpaare einander zugeordnet werden.
Bei nur 2 oder weniger gilt die Aufgabe als **nicht gekonnt**.

A. 40. Räumt 5 Hohlwürfel ein ☐

Kann das Kind 5 in ihren Größen unterschiedliche Hohlwürfel ineinanderstecken?

Verwenden Sie dazu nur einen halben Satz der üblichen, beim Turmbau verwendeten 10 Hohlwürfel, indem Sie jede zweite Größe herausnehmen. Übrig bleiben 5 größenunterschiedliche Hohlwürfel, die nun vor den Augen des Kindes ineinandergesteckt werden sollen. Nachdem alle Würfel wieder auseinandergenommen und durcheinandergebracht worden sind, soll das Kind die Aufgabe allein wiederholen.
Die Aufgabe gilt als **gekonnt**, wenn sie ohne Hilfe ausgeführt wird.
Kann das Kind, ohne daß ihm geholfen wird, nur 3 oder 4 Hohlwürfel richtig ineinanderpassen, so ist dies mit **halb gekonnt** zu bewerten.
Die Aufgabe ist **nicht gekonnt**, wenn nur 2 Würfel ineinandergesteckt werden.

A. 41. Setzt 5 Formen ein ☐

Kann das Kind 5 verschiedene geometrische Formen optisch unterscheiden?

Man verwendet am besten ein in Spielwarengeschäften erhältliches Formenbrett mit 6 oder 8 verschiedenen Einsatzecken, z. B. Kreis, Viereck, Dreieck, Rechteck, Eiform, Fünfeck. Das Kind soll in der Lage sein, 5 der herausgenommenen Formen in die entsprechenden Ausnehmungen des Brettes hineinzuplazieren.

Sind die Händchen des Kindes zu ungeschickt, so soll das Kind durch Ja- und Nein-Antwort oder durch Kopfnicken bzw. Kopfschütteln zu erkennen geben, ob der Erwachsene die entsprechende Form in die dazu passende Ausnehmung richtig zuordnet.

Ist kein Formenbrett vorhanden, so können jeweils zwei gleiche Formen aus Pappe ausgeschnitten werden, die dann aufeinander zu legen sind.

Die Aufgabe gilt als **gekonnt**, wenn das Kind ohne fremde Hilfe 5 Formen zuordnet. Sie ist nur **halb gekonnt** bei 3 oder 4 Formen.

Bei nur 2 Formenzuordnungen gilt sie als **nicht gekonnt**.

A. 42. Orientiert sich draußen ☐

Ist das Kind in der Lage, sich außerhalb des Hauses genügend sicher zu orientieren?

Die Aufgabe gilt als **gekonnt,** wenn es völlig selbständig zum nahe gelegenen Spielplatz oder zum Einkaufen (mit vorbereitetem Zettel) gehen und auch wieder zur Wohnung zurückfinden kann.

Bei gehunfähigen Kindern wird die Aufgabe dadurch geprüft, daß man das Kind auffordert, die Richtung des Hin- und Rückweges anzugeben, während man es auf dem Arm trägt oder im Wagen fährt.

Bei Orientierungsunsicherheit ist die Aufgabe nur **halb gekonnt**.

Bei völliger Hilflosigkeit gilt die Aufgabe als **nicht gekonnt**.

A. 43. Sortiert Autos und Tiere ☐

Kann das Kind Spielgegenstände nach den beiden Oberbegriffen »Autos« und »Tiere« optisch unterscheiden?

Geben Sie dem Kind jeweils 5 verschiedene Plastiktiere und 5 verschiedene Autos und beginnen Sie selbst, die Tiere auf die eine Seite und die Autos auf die andere Seite zusammenzuordnen. Bringen Sie dann alles wieder durcheinander und lassen Sie das Kind das gleiche wiederholen.

Die Aufgabe gilt nur bei richtigem Sortieren aller 10 Gegenstände als **gekonnt**.

Macht das Kind einen Fehler, so gilt sie als **halb gekonnt**, bei mehr Fehlern als **nicht gekonnt**.

A. 44. Ordnet Menge »zwei« optisch zu ☐

Kann das Kind die Mengen »eins« und »zwei« optisch unterscheiden?

Legen Sie aus einem mit Knöpfen, Kastanien, Legosteinen oder Glaskugeln gefüllten Behälter abwechselnd entweder nur eins oder zwei auf Ihre offene Hand und fordern Sie das Kind durch Worte und Gesten auf, genauso viele in sein Händchen zu nehmen. Dabei braucht es die Mengenbegriffe »eins« und »zwei« nicht zu kennen.

Die Aufgabe gilt als **gekonnt,** wenn es immer richtig reagiert.

Sie gilt als **halb gekonnt** bei vorwiegend richtigem Reagieren.

Bei häufig falscher Reaktion ist die Aufgabe **nicht gekonnt**.

A. 45. Findet drei versteckte Dinge ☐

Kann das Kind drei vorher sichtbar versteckte, begehrenswerte Spielgegenstände wiederfinden?

Verstecken Sie – entsprechend der Aufgabe A. 33. – vor den Augen des Kindes drei seiner Lieblingsspielzeuge oder Süßigkeiten, indem Sie sie einzeln unter oder hinter Kissen, Decken oder Möbeln hinlegen. Wenn die drei Gegenstände versteckt sind, darf das Kind suchen.

Die Aufgabe ist **gekonnt,** wenn es alle drei gefunden hat.

Sie gilt als **halb gekonnt,** wenn nur zwei gefunden werden.

Findet es nur einen Gegenstand wieder, so ist die Aufgabe **nicht gekonnt.**

A. 46. Erkennt Junge und Mädchen ☐

Kann das Kind Geschlechtsunterschiede optisch erkennen?

Die Aufgabe gilt als **gekonnt,** wenn es sagen kann, ob der kleine Karl von nebenan ein Junge und die Spielgefährtin Monika ein Mädchen ist.

Die Aufgabe kann aber auch an Abbildungen überprüft werden, indem man z. B. beim Betrachten eines Märchenbuches fragt, ob der Hänsel ein Junge oder ein Mädchen ist.

Bei sprechunfähigen Kindern ist es nötig, jeweils zwei Mädchen- und zwei Jungen-bilder auszuschneiden und das Kind zu veranlassen, die Bilder richtig einander zuzuordnen.

Weitere Hinweise zur Bewertung siehe Aufgabe A. 44.

A. 47. Ordnet Detail zum Ganzen ☐

Ist das Kind in der Lage, eine aus einem Gesamtbild herausgelöste Einzelheit optisch wiederzuerkennen?

Man nimmt am besten 3 Paare von Combi-Memory-Karten[1]). Jeweils auf einer dieser Karten ist das Gesamtbild dargestellt, z. B. ein spielender Junge mit Indianerfedern auf dem Kopf. Auf dem dazugehörigen zweiten Bild ist nur eine Einzelheit darge-stellt, z. B. der Indianerkopfschmuck des Jungen.

Das Kind soll mindestens drei Bildpaare einander zuordnen.

Bei nur zwei richtigen Zuordnungen gilt die Aufgabe als **halb gekonnt,** bei nur einer Zuordnung als **nicht gekonnt.**

A. 48. Puzzle aus zwei Teilen ☐

Kann das Kind zwei gradlinig diagonal durchgeschnittene Tierpostkarten wieder richtig zusammensetzen?

Man schneidet vor den Augen des Kindes zwei lustige Tierpostkarten von einer Ecke zur gegenüberliegenden Ecke schräg durch, so daß man jeweils zwei Dreiecke erhält. Diese vier Postkartenteile werden durcheinandergebracht und das Kind auf-gefordert, die Bilder wieder heile zu machen.

Werden beide Postkarten richtig aneinandergelegt, so gilt die Aufgabe als **gekonnt.** Fügt das Kind nur eine der beiden Postkarten richtig zusammen, so gilt dies als **halbe Aufgabenlösung.**

Gelingt ihm das Puzzle überhaupt nicht, so gilt dies als **nicht gekonnt.**

Die Funktionen des vierten Lebensjahres: B. Handmotorik

B. 37. Zieht Kleidung an ☐

Kann das Kind ein Kleidungsstück selbständig anziehen?

Die Aufgabe ist **gekonnt,** wenn das Kind eines seiner eigenen Kleidungsstücke

---

[1]) Dieses Spiel ist im Fachhandel erhältlich.

anziehen kann, z. B. Strümpfe, Schuhe, Unterhose, kurze Hose, lange Hose, Jacke
oder Mantel. (Das Aufsetzen einer Mütze wird nicht mitbewertet).
Gelingt das Anziehen nur selten und mit größter Mühe, so gilt dies als **halb gekonnt.**
Braucht es dabei Hilfe, so ist die Aufgabe **nicht gekonnt.**

B. 38. Öffnet Zündholzschachtel ☐

*Kann das Kind ohne Hilfe eine Zündholzschachtel aufschieben, um an seinen Inhalt zu
gelangen?*

Stecken Sie vorher eine Süßigkeit, eine Perle oder einen Stein in eine Streichholzschachtel, so daß das Kind durch Hin- und Herschütteln auf ihren Inhalt aufmerksam wird.
Die Aufgabe ist **gekonnt,** wenn das Kind ohne Aufforderung die Schachtel so weit
aufschiebt, daß es den Inhalt herausschütteln kann.
Öffnet es die Streichholzschachtel auf Aufforderung oder nach Vormachen, so ist
die Aufgabe **halb gekonnt.**

B. 39. Wickelt Bonbon aus ☐

Kann das Kind ein viereckiges oder längliches Bonbon selbst auswickeln?

Die Aufgabe gilt als **gekonnt,** wenn das Kind ohne Benutzung des Mundes nur mit
den Fingern das Papier durch Abwickeln oder Aufreißen vom Bonbon entfernt.
Gelingt dies selten oder muß der Mund zu Hilfe genommen werden, so ist die
Aufgabe **halb gekonnt.**
Braucht es fremde Hilfe, so gilt dies als **nicht gekonnt.**

B. 40. Baut Turm aus 8 Würfeln ☐

*Kann das Kind 8 gleich große oder wenig größenunterschiedliche Klötzchen aufein-
anderbauen?*

Bei nur 5 bis 7 Würfeln gilt die Aufgabe als **halb gekonnt.**
Bei 4 Würfeln und weniger gilt sie als **nicht gekonnt.**

B. 41. Zeichnet Kreis ab ☐

Kann das Kind nach Vorlage einen geschlossenen Kreis zeichnen?

Stellen Sie dem Kind Papier und Filzstift zur Verfügung wie bei Aufgabe B. 23.
Auf dem leeren Blatt Papier soll aber ein Kreis vorher aufgemalt worden sein, so
daß das Kind nicht beobachten kann, wie der geschlossene Kreis entsteht.
Man soll dem Kind nur verständlich machen, daß es auch so etwas auf die andere
Seite des Papierbogens malen soll. Dann dreht man den Bogen herum und läßt das
Kind auf die andere Seite einen Kreis aufmalen.
Die Aufgabe gilt als **gekonnt,** wenn bei fünf Versuchen mindestens zwei geschlos-
sene Kreise entstehen. Ihre Form braucht nicht ganz kreisrund zu sein.
Schafft das Kind nur einen Kreis, so ist dies mit **halb gekonnt** zu bewerten.
Ist der Kreis nicht geschlossen, so gilt die Aufgabe als **nicht gekonnt.**

B. 42. Hält Stift mit Fingern ☐

Hält das Kind seinen Stift beim Malen im Erwachsenengriff?

Beobachten Sie während des Zeichnens, wie das Kind seinen Stift hält.
Wird er gewöhnlicherweise zwischen Daumen, Zeige- und Mittelfinger gehalten,
so ist die Aufgabe **gekonnt.**
Tut es dies nur zeitweise auf Aufforderung oder wenn man ihm den Stift im Erwach-

senengriff in die Hand legt, so gilt die Aufgabe als **halb gekonnt.**
Packt das Kind den Stift mit der ganzen Hand im Faustgriff, so gilt dies als **nicht gekonnt.**

B. 43. Wäscht und trocknet Hände ☐

Kann das Kind seine Hände selbst mit Seife waschen und danach abtrocknen?

Die Aufgabe ist **gekonnt,** wenn das Kind selbständig den Wasserhahn aufdreht, seine Hände unter Verwendung von Seife sorgfältig wäscht, abspült, den Hahn wieder schließt und die Hände dann mit einem Handtuch vollständig abtrocknet.
Bei nur oberflächlichem Waschen und ungenügendem Abtrocknen ist die Aufgabe nur **halb gekonnt.**
Braucht es noch immer Hilfe dabei, so gilt dies als **nicht gekonnt.**

B. 44. Schraubt, dreht Schlüssel ☐

Kann das Kind Schraubverschlüsse und Schlüssel öffnend und schließend drehen?

Das Kind soll in der Lage sein, eine Schraubdose zu öffnen (oder statt dessen eine Holz- bzw. Plastikmutter vom Gewinde abzuschrauben) und mit einem Schlüssel eine Schranktür auf- und zuzuschließen (bzw. ein Spieltier mit dem Schlüssel aufzuziehen).
Die Aufgabe ist **gekonnt,** wenn sowohl ein Schraubverschluß geöffnet als auch das Schlüsseldrehen gut und sicher ausgeführt werden.
Wird nur eine dieser beiden Funktionen sicher beherrscht oder hat das Kind noch bei beiden Funktionen Schwierigkeiten, so gilt die Aufgabe als **halb gekonnt.**
Kann es weder Schraubverschlüsse öffnen noch mit dem Schlüssel schließen, so gilt dies als **nicht gekonnt.**

B. 45. Knetet Kugel und Schlange ☐

Kann das Kind mit Plastilin, Ton, Wachs oder einer ähnlichen Masse eine Kugel und eine Schlange formen?

Die zur Verfügung gestellte Knetmasse muß weich genug sein, damit das Kind sie durch Kneten und Rollen bearbeiten kann.
Kann das Kind eine einigermaßen runde Kugel formen und daraus durch druckgebendes Hin- und Herrollen eine Schlange (Wurst) herstellen, so ist die Aufgabe **gekonnt.**
Wird nur eine dieser beiden Formen hergestellt, so gilt dies als **halb gekonnt.**
Anderenfalls gilt die Aufgabe als **nicht gekonnt.**

B. 46. Linie zwischen zwei Punkten ☐

Kann das Kind zwei Punkte, Kreuze oder Sterne durch eine gerade Linie verbinden?

Malen Sie dem Kind auf ein Blatt Papier in etwa einer Handbreite Abstand zwei dicke Punkte. Zeigen Sie dem Kind nun, wie man diese beiden Punkte durch eine Filzstiftlinie verbinden kann. Machen Sie zwei neue Punkte und fordern Sie das Kind auf, dieselben nun ebenfalls durch eine gerade Linie miteinander zu verbinden.
Bringt das Kind bei drei Versuchen wenigstens einen geraden Strich von Punkt zu Punkt fertig, so gilt die Aufgabe als **gekonnt.**
Ist die Strichführung zittrig, verbindet das Kind aber dennoch die Punkte genau miteinander, so ist sie **halb gekonnt.**
Mußte das Kind unterwegs die Richtung der Linie ändern oder erreichte der gerade Strich den Zielpunkt nicht, so ist die Aufgabe als **nicht gekonnt** zu bewerten.

B. 47. Knöpft auf und zu ☐

Kann das Kind irgendeinen beliebigen Knopf auf- und zuknöpfen?

Die Aufgabe gilt als **gekonnt,** wenn ein Kleidungsstück an sich selbst oder an einer Puppe wiederholt auf- und zugeknöpft werden kann. (Knopflöcher dürfen nicht zu eng und die Knöpfe sollen möglichst groß sein.)

Hat das Kind noch große Schwierigkeiten, schafft es nur das Auf- oder Zuknöpfen oder kann es diese Aufgabe nicht mehrmals wiederholen, so ist sie als **halb gekonnt** zu werten.

Kann es gar nicht knöpfen, so gilt dies als **nicht gekonnt.**

B. 48. Schneidet mit Schere ☐

Kann das Kind einen schmalen Papierstreifen mit der Schere durchschneiden?

Man nimmt einen Papierstreifen, der nicht breiter sein soll als eine beim Karneval verwendete »Luftschlange«, und hält ihn zwischen Daumen und Zeigefinger beider Hände straff gespannt dem Kinde hin mit der Aufforderung, den Streifen mit der Schere durchzutrennen.

Die Aufgabe gilt als **gekonnt,** wenn das Kind den Papierstreifen nach einigen Versuchen mehrmals hintereinander einwandfrei durchschneiden kann.

Schafft es dies nur ein einziges Mal, so ist die Aufgabe als **halb gekonnt** zu bewerten.

Greift das Kind mit der zweiten Hand zu, um sich das Schereschneiden zu erleichtern, so ist sie **nicht gekonnt.**

Die Funktionen des vierten Lebensjahres: C. Körpermotorik

C. 37. Fährt Dreirad, Gocart ☐

Kann das Kind flüssig die Pedale eines Dreirades oder Gocarts durchtreten und sich damit selbständig fahrend fortbewegen?

Die Aufgabe gilt als **gekonnt,** wenn es das Fahrzeug auch gut lenken kann.

Vergißt es über dem Pedaletreten zeitweilig das Lenken und eckt es deshalb des öfteren an, so ist die Aufgabe als **halb gekonnt** zu bewerten.

Kann es noch gar nicht fahren, so rechnet dies als **nicht gekonnt.**

C. 38. Kickt Ballon aus der Luft ☐

Kann das Kind nach einigem Üben einen recht groß aufgeblasenen Luftballon zweimal hintereinander mit dem Fuß hochstoßen, ehe er zu Boden fällt?

Wird der herabschwebende Ballon jedesmal nur einmal wieder hochgekickt, ehe er den Boden berührt, so ist dies mit **halb gekonnt** zu bewerten.

Schlechte Augenkontrolle und nur zufälliges Treffen des Luftballons gelten als **nicht gekonnt.**

C. 39. Trägt Wasserglas 3 Meter weit ☐

Kann das Kind ein bis etwa 1 cm unter dem oberen Rand mit Wasser gefülltes Glas über eine Strecke von 3 Metern ohne Verschütten tragen?

Das Wasserglas soll von einem Tisch aufgenommen werden und um einen 1½ Meter entfernt stehenden Stuhl herumgetragen und wieder auf dem Tisch abgesetzt werden. Verschüttet das Kind dabei doch etwas Wasser aus dem Glas, so ist die Aufgabe **halb gelöst.**

Wurde mehr als eine Fingerbreite Wasser aus dem Glas verschüttet, so gilt dies als **nicht gelöst.**

C. 40. Geht 3-Meter-Streifen entlang ☐

Kann das Kind einen etwa fußbreiten Streifen über eine Strecke von 3 Metern ohne gröbere Abweichungen entlanggehen?

Ragt der Fuß beim Vorwärtsgehen nur ganz gering nach rechts und links über den Bodenstreifen hinaus, so gilt die Aufgabe trotzdem als **gekonnt**.

Weicht das Kind häufig mit dem halben Fuß vom Bodenstreifen ab, so ist die Aufgabe **halb gekonnt**.

Verläßt ein Fuß während des Vorwärtsgehens den Streifen ganz, tritt das Kind also daneben, so ist dies als **nicht gekonnt** zu bewerten.

C. 41. Springt 20 cm weit, 5 cm hoch ☐

Kann das Kind über ein etwa 20 cm breites und 5 cm hohes Kissen ohne Anlauf mit beiden Füßen zugleich springen?

Nehmen Sie ein Kissen oder eine gefaltete Tischdecke etwa von der Form eines DIN-A 4-Bogens und legen Sie es so auf den Boden, daß das Kind vor seiner Breitseite steht. Fordern Sie es nun auf, mit beiden Füßen gleichzeitig über das Hindernis zu springen.

Ein nicht ganz gleichzeitiges Abdrücken beider Füße vom Boden ist als **halb gekonnt** zu bewerten.

Drückt das Kind nur mit einem Fuß ab und entsteht dabei mehr ein Schritt über das Hindernis, so gilt die Aufgabe als **nicht gekonnt**.

C. 42. Frei treppauf, Fußwechsel ☐

Kann das Kind ohne Anhalten eine Treppe hinaufgehen, indem es ohne Nachstellschritt mit jedem Fuß eine Stufe nimmt?

Ein nur selten beobachtetes Nachziehen des unteren Fußes auf die gleiche Stufe ist mit **halb gekonnt** zu bewerten.

Führt das Kind jedoch immer noch den Nachstellschritt aus, so gilt dies als **nicht gekonnt**.

C. 43. Geht mit Arm-Gegenschwung ☐

Schwingt das Kind beim freien Geradeausgehen die Arme im Gegenrhythmus mit?

Jedesmal wenn der linke Fuß vorgesetzt wird, soll der rechte Arm nach vorn schwingen und umgekehrt.

Gering unregelmäßiges Armschwingen gilt als **halb gekonnt**.

Pendeln die Arme deutlich unregelmäßig vor und zurück oder hängen sie beim Gehen mehr oder weniger unbeteiligt seitlich herab, so gilt die Aufgabe als **nicht gekonnt**.

C. 44. Je Bein 2 Sekunden balancieren ☐

Kann das Kind sowohl auf dem rechten als auch auf dem linken Bein während 2 Sekunden ohne umzufallen stehen?

Um dieses zu prüfen, läßt man das Kind am besten kurzzeitig den freien Fuß anfassen und zählt währenddessen: »21, 22«.

Ist das Kind nur auf einem Bein in der Lage, den anderen freien Fuß kurzzeitig anzufassen, so ist dies als **halb gekonnt** zu bewerten.

Gelingt es weder auf dem rechten noch auf dem linken Bein, so gilt die Aufgabe als **nicht gekonnt**.

C. 45. Ein Hüpfer auf einem Bein ☐

Kann das Kind auf einem seiner beiden Beine vom Boden abhüpfen?

Die Wahl des Beines ist dem Kinde freigestellt.

Die Aufgabe gilt als **gekonnt,** wenn das Kind ohne fremde Hilfe sein Körpergewicht im Einbeinstand kurzzeitig vom Boden abhebt.

Kann dies auf keinem der beiden Beine geleistet werden, so ist die Aufgabe **nicht gekonnt.**

(Eine »Halb-gekonnt-Wertung« ist bei dieser Aufgabe nicht möglich.)

C. 46. Fünf fortlaufende Schlußsprünge ☐

Kann das Kind mit geschlossenen Füßen fünfmal hintereinander vom Boden hoch-springen?

Die Höhe oder Weite der Schlußsprünge spielt hier keine Rolle.

Die Aufgabe gilt als **gekonnt,** wenn das Kind ohne abzusetzen seinen Körper fünfmal mit geschlossenen Füßen vom Boden abheben kann.

3 bis 4 fortlaufende Hüpfer gelten als **halb gekonnt,** weniger als **nicht gekonnt.**

C. 47. Schlußsprung von Couch ☐

Kann das Kind von der vorderen Kante einer Couch, eines Sofas oder eines Sessels frei zu Boden springen?

Zur Bewältigung dieser Aufgabe ist es notwendig, daß es seinen Körper kurzzeitig auf der federnden Unterlage der Couch ausbalanciert, ehe es zum Herabsprung ansetzt.

Schafft das Kind dies, ohne sich festzuhalten und landet es ebenfalls gleichgewichts-sicher auf dem Boden, so ist die Aufgabe als **gekonnt** anzusehen.

Hat es geringe Gleichgewichtsschwierigkeiten beim Absprung oder bei der Lan-dung, so ist dies als **halb gekonnt** zu bewerten.

Muß sich das Kind beim Stand auf der Couch oder nach der Landung am Boden mit den Händen abstützen oder macht es statt des Absprunges einen Schritt, so gilt die Aufgabe als **nicht gekonnt.**

C. 48. Frei treppab, Fußwechsel ☐

Kann das Kind, ohne sich anzuhalten, eine Treppe hinuntergehen, indem es jeweils einen Fuß auf eine Treppenstufe setzt?

Gelegentliches Fußnachziehen auf die gleiche Stufe bei an sich weitgehendem Abwechseln der Füße wird mit **halb gekonnt** bewertet.

Wird ein Fuß dauernd nachgezogen oder muß sich das Kind noch anhalten, so ist die Aufgabe **nicht gekonnt.**

Die Funktionen des vierten Lebensjahres: D. Sprache

D. 37. Sagt: ich, du, mein, dein ☐

Verwendet das Kind drei der angegebenen persönlichen oder besitzanzeigenden Für-wörter?

Bei Verwendung von nur einem oder zwei der Fürwörter ist die Aufgabe **halb gekonnt.**

D. 38. Verwendet Mehrzahl ☐

Benutzt das Kind die Mehrzahl, wenn es sich um mehrere Gegenstände oder Erscheinungen handelt?

Sagt es z. B. »Kinder«, wenn es spielende Kinder auf dem Spielplatz sieht. Oder sagt es »Bäume« oder »Sterne«, wenn es dieselben in Wirklichkeit oder auf Abbildungen erkennt?
Ist das nur selten der Fall, so gilt dies als **halb gekonnt**.

D. 39. Benennt Tätigkeit im Bild ☐

Sagt das Kind, was eine abgebildete Person gerade tut?

Zeigen Sie dem Kind ein Bild, auf welchem irgend jemand etwas tut: rennt, schwimmt, fährt, spielt, schläft usw.
Das Kind soll wenigstens zwei solcher abgebildeten Tätigkeiten richtig benennen können.
Nur eine richtige Antwort gilt als **halb gekonnt**.

D. 40. Nennt fünf Tiere ☐

Kann das Kind auf Befragen 5 verschiedene Tiere aufzählen?

Es darf ihm weder durch Vorsagen noch durch Vorzeigen entsprechender Bilder geholfen werden.
Kann das Kind aus der Erinnerung nur 3 bis 4 Tiere aufzählen, so gilt dies als **halb gekonnt**.
Bei 2 oder weniger Tieren ist die Aufgabe **nicht gekonnt**.

D. 41. Berichtet spontan Erlebnis ☐

Kann das Kind mit seinen Worten berichten, was es gesehen oder erlebt hat?

Es genügt, wenn man den Sinn des Erzählten auch ohne Rückfragen allein aus den Äußerungen des Kindes erkennt.
Ist der Sinn des Wiedergegebenen nicht ohne weiteres verständlich, so ist die Aufgabe als **halb gekonnt** zu werten.
Die Aufgabe ist **nicht gekonnt**, wenn nicht zu erkennen ist, was das Kind eigentlich meint.

D. 42. Verwendet Vergangenheit ☐

Berichtet das Kind von abgelaufenen Tätigkeiten in der Vergangenheit?

Es genügt, wenn das Kind etwa Sätze wie die folgenden gebraucht: »Da **war** ein großer Hund.« »Papa ist weg**gegangen**« oder ähnliches.

D. 43. Laute: ch ch, ng, mt, schp, fr ☐

Kann das Kind 3 der angegebenen Konsonanten (Mitlaute) oder Konsonantenverbindungen richtig aussprechen?

Bitten Sie es, die hier als Beispiele angegebenen Wortpaare nachzusprechen: Buch, Bücher (ch/ch), bringen, Schlingel (ng), Ente, Hund (mt), Spiegel, spielen (schp), forsch, frieren (fr).
Die Aufgabe gilt dann als **gekonnt**, wenn das Kind mindestens drei dieser Wortpaare verständlich aussprechen kann.
Bei nur zwei Wortpaaren ist die Aufgabe **halb gekonnt**.
Die Aussprache nur eines Wortpaares gilt als **nicht gekonnt**.

D. 44. Erklärt, was es spielt ☐

Kann das Kind näher angeben, welches der Inhalt seines Spieles ist, mit dem es gerade beschäftigt war?

Eine gut verständliche und klare Auskunft über die Art des Spiels ist als **gekonnt** zu bewerten.

Ist es schwer verständlich, was das Kind eigentlich meint, so ist die Aufgabe nur **halb gekonnt.**

Ist gar nichts verständlich, so gilt das als **nicht gekonnt.**

D. 45. Wiederholt Kurzgeschichte ☐

Kann das Kind eine Geschichte mit gradliniger Handlung in seinen Worten dem Sinn nach wiederholen?

Erzählen Sie ihm folgende Kurzgeschichte: »Da war eine Frau, die hatte viele Eier eingekauft. Die wollte sie in ihrem Korb nach Hause tragen. Da kam ein großer Hund angerannt und bellte die Frau ganz laut an: Wau wau! Da ließ die Frau vor Schreck den Eierkorb fallen, und alle Eier lagen kaputt auf der Straße.«

Werden beim Wiedererzählen einige Handlungsteile ausgelassen, vergißt das Kind, z. B. warum die Frau den Eierkorb fallen ließ, so ist dies als **halb gekonnt** zu bewerten.

Gibt das Kind nur zusammenhanglose Bruchstücke des Handlungsablaufs wieder, so ist die Aufgabe **nicht gekonnt.**

D. 46. Gebraucht Nebensätze ☐

Verwendet das Kind, wenn es etwas erzählt, Haupt- und Nebensätze?

Die Aufgabe gilt als gekonnt, wenn es z. B. sagt: »Guck mal, was ich gebaut habe!« oder: »Weißt du, der Mann, der immer die Flaschen bringt . . .«

Verwendet das Kind nur selten Nebensätze, so ist die Aufgabe als **halb gekonnt** zu werten.

D. 47. Fragt: wer, wo, wann, warum ☐

Beginnt das Kind seine Fragen mit drei der genannten Wörter?

Es sollte z. B. fragen: »Wer war der Mann?« »Wo gehen wir hin?« »Wann kommt der Papi?«

Verwendet das Kind nur ein oder zwei dieser Fragewörter, so gilt dies als **halb gekonnt.** Desgleichen, wenn es nur selten fragt.

Werden keine Fragewörter gebraucht, so ist die Aufgabe **nicht gekonnt.**

D. 48. Nennt zwei Gegensätze ☐

Kann das Kind auf Stichwörter hin mindestens zwei gegensätzliche Eigenschaften nennen?

Fragen Sie z. B.: »Am Tage ist es hell, in der Nacht ist es . . .?« »Ein Mäuslein ist klein, und der Elefant ist . . .« »Das Eis ist kalt, aber das Feuer ist . . .«

Wenn das Kind nur einen Gegensatz nennen kann, so ist die Aufgabe **halb gekonnt.** Kann es keine gegensätzliche Ergänzung bringen, so gilt dies als **nicht gekonnt.**

Die Funktionen des vierten Lebensjahres:
E. Akustische Wahrnehmung

E. 37. Zeigt größer und kleiner ☐

Kennt das Kind die Größenbegriffe »groß« und »klein«?

Legen Sie dem Kind zwei gleiche Gegenstände unterschiedlicher Größe vor, z. B. einen großen und einen kleinen Stein oder einen großen und einen kleinen Löffel. Fragen Sie das Kind: »Welcher Stein ist größer?« Oder: »Gib mir den kleinen Löffel!«
Die Aufgabe ist **gekonnt,** wenn das Kind mindestens dreimal nacheinander richtig reagiert.
Werden die Lösungen vorwiegend richtig gebracht, so entspricht das einer Wertung von **halb gekonnt.**
Vorwiegend falsche Reaktionen gelten als **nicht gekonnt.**

E. 38. Zeigt rechts/links (auch falsch) ☐

Kennt das Kind die Raumbegriffe rechts und links, auch wenn es seine Richtungen noch nicht zuordnen kann?

Es genügt, wenn es weiß, daß es eine rechte und eine linke Hand gibt.
Fragen Sie das Kind: »Zeig mir deine rechte Hand!« und darauf: «Nun zeig mir deine linke!«
Ein Plus ist zu geben, wenn das Kind irgendeine Hand vorzeigt und auf die zweite Aufforderung die andere Hand hebt.
Die Aufgabe gilt als **nicht gekonnt,** wenn das Kind beide Male die gleiche Hand vorzeigt.

(Anmerkung: Bei dieser Aufgabe werden keine halben Lösungen gewertet.)

E. 39. Zeigt auf rote Farbe ☐

Kann das Kind auf Aufforderung einen roten Gegenstand zeigen?

Hier muß der akustische Wortbegriff »rot« mit der optischen Wahrnehmung verbunden werden können.
Legen Sie drei verschiedenfarbige Gegenstände vor das Kind hin und fordern Sie es auf, Ihnen den roten zu zeigen. Tauschen Sie die anderen Farben daraufhin aus und wiederholen das gleiche noch zweimal.
Bringt das Kind nacheinander drei richtige Lösungen, so ist die Aufgabe **gekonnt.**
Bei vorwiegend richtiger Reaktion ist die Aufgabe als **halb gekonnt** zu werten.
Rät das Kind nur, so gilt dies als **nicht gekonnt.**

E. 40. Zeigt eckig und rund ☐

Kann das Kind die Formbegriffe »eckig« und »rund« richtig zuordnen?

Legen Sie dem Kind ein Dreieck und einen Kreis vor und fordern Sie es auf, Ihnen das Runde und dann das Eckige zu zeigen.
Bewertung wie bei Aufgabe E. 39.

E. 41. Hört Geschichte gespannt zu ☐

Verfügt das Kind über eine längere akustische Aufmerksamkeitsspanne, die es ermöglicht, einer kleinen Geschichte von Anfang bis Ende gespannt zuzuhören?

Wenn das Kind in einer ruhigen Phase ist, so sagen Sie ihm, daß Sie ihm eine schöne Geschichte oder ein Märchen erzählen wollen. Beobachten Sie während des Erzählens, ob das Kind Ihnen aufmerksam zuhört und das Gesagte zu verarbeiten sucht. Sorgen Sie dafür, daß das Kind nicht von anderen optischen oder akustischen Störungen abgelenkt wird.

Die Aufgabe gilt als **gekonnt**, wenn es für eine Zeit von einer Minute voller Spannung zuzuhören imstande ist.

Fällt die Aufmerksamkeitsspanne während des Erzählens ab, wird das Kind unruhig und zeigen sich Phasen der Unaufmerksamkeit, hört es aber dennoch im großen und ganzen zu, so ist dies als **halb gekonnt** zu bewerten.

Große Unaufmerksamkeit gilt als **nicht gekonnt**.

E. 42. Hört Vokal »a« heraus ☐

Kann das Kind einen Vokal, wie z. B. das »a«, aus einer Reihe von Wörtern sicher heraushören?

Sagen Sie dem Kind, daß Sie ihm jetzt einige Wörter vorsprechen wollen. Immer wenn ein »a« zu hören ist, soll das Kind dies durch Handerheben oder Rufen anzeigen. Sprechen Sie die Wörter langsam und deutlich aus, mit einer kleinen Pause nach jedem Wort.

Gelingt dies bei der Mehrzahl der Worte, so gilt dies als **gekonnt**.

Wird nur selten richtig reagiert, so ist die Aufgabe **halb gekonnt**.

Wird gar nicht richtig reagiert, gilt dies als **nicht gekonnt**.

E. 43. Kennt Daumen, Zeigefinger ☐

Kann das Kind auf Aufforderung seinen Daumen und Zeigefinger herzeigen?

Bei nur einer richtigen Lösung ist die Aufgabe als **halb gekonnt** zu bewerten.

Kann es keinen Finger zeigen, so gilt dies als **nicht gekonnt**.

E. 44. Befolgt: Gib mir zwei ☐

Versteht das Kind den Mengenbegriff »zwei« und reagiert es sicher darauf?

Lassen Sie sich beim Kaufladenspiel zwei bestimmte Dinge geben oder lassen Sie das Kind den Tisch für zwei Puppen oder Teddys decken.

Sichere Reaktionen gelten als **gekonnt**.

Unsichere, aber überwiegend richtige Reaktionen werden als **halb gekonnt** gewertet.

Überwiegend falsche Reaktionen gelten als **nicht gekonnt**.

(Anmerkung: Um ganz sicher zu sein, wechseln Sie zwischen den Mengenbegriffen »eins«, »zwei« und »viel« ab.)

E. 45. Versteht: morgens, abends ☐

Kann das Kind die beiden Zeitbegriffe »morgens« und »abends« richtig verwenden?

Fragen Sie es: »Wenn du aufstehst; ist es dann morgens oder abends?«

Oder: »Wenn du zu Bett gehst, ist das morgens oder abends?«

Bei sprachgestörten Kindern, die nicht fähig sind zu antworten, legt man am besten zwei Bilder vor, auf denen jeweils eine morgendliche und abendliche Szene dargestellt ist. Fragen Sie das Kind, auf welchem Bild es abends ist.

Nur bei zwei richtigen Lösungen kann die Aufgabe als **gekonnt** gelten.

Bei nur einer richtigen Lösung ist sie als **halb gekonnt** zu bewerten.

Keine richtige Lösung gilt als **nicht gekonnt**.

E. 46. Legt etwas auf, unter ☐

Kann das Kind zwei Präpositionen als nähere Ortsangaben richtig verstehen?
Geben Sie ihm ein Spieltier und einen Pappkarton. Sagen Sie ihm, daß dies ein Haus sei. Bitten Sie das Kind nun, das Bärlein (Kätzchen) **in** das Haus zu tun. Nun möchte das Tierlein einmal **auf** das Haus. Vielleicht auch einmal **hinter** das Haus. Sagen Sie zum Schluß: »Nun hat das Bärlein keine Lust mehr und möchte sich **unter** den Stuhl (Tisch) legen.«
Die Aufgabe ist **gekonnt**, wenn das Spieltier auf Anweisung zweimal richtig plaziert wurde.
Bei nur einer richtigen Ausführung ist die Aufgabe **halb gekonnt**.
Versteht das Kind die Anweisungen nicht, so gilt dies als **nicht gekonnt**.

E. 47. Versteht: müde, hungrig ☐

Kann das Kind zeigen, daß es den Wortsinn zweier Empfindungen richtig versteht?
Fragen Sie es nacheinander, was es macht, wenn es müde, hungrig oder kalt ist. Die Antwort kann durch Worte oder Gesten gegeben werden.
Es genügt, wenn das Kind auf zwei dieser Fragen eine richtige Reaktion zeigt.
Nur eine richtige Antwort gilt als **halb gekonnt**.
Anderenfalls ist die Aufgabe als **nicht gekonnt** zu werten.

E. 48. Zeigt alles was fliegt ☐

Kann das Kind Gehörtes nach einem einfachen Oberbegriff ordnen?
Nennen Sie dem Kind langsam hintereinander 10 Tiere, von denen 5 fliegen und 5 nicht fliegen können. Bei Nennung eines fliegenden Tieres soll das Kind jedesmal den Arm erheben oder laut rufen.
Reagiert das Kind dreimal nacheinander richtig, so gilt die Aufgabe als **gekonnt**.
Bei vorwiegend richtigen Reaktionen ist sie **halb gekonnt**.
Ist dem Kind der Wortbegriff »fliegen« noch nicht geläufig, so gilt dies als **nicht gekonnt**.

(Anmerkung: Lassen Sie dem Kind Zeit für die richtige Reaktion. Nennen Sie die Tiere betont langsam, und machen Sie eine längere Pause nach jedem Tiernamen, damit das Kind Zeit zum Überlegen findet.)

2. Feststellung des sozialen Entwicklungsstandes

2.1. Das psychosoziale Entwicklungsgitter

**Gemüt, Gefühl
Seele**

Mit dem sensomotorischen Entwicklungsgitter werden — wie wir gesehen haben — Sinnes- bzw. Verstandestätigkeit und Bewegungshandlung sowie Sprache erfaßt. Bei der Sozialentwicklung handelt es sich um eine ganz andere Seite der Persönlichkeitsentwicklung. Es geht dabei um das Seelische, das Gemüthafte des Menschen.

Kontaktfähigkeit

Die Entwicklung dieser gefühlsmäßigen Seite des Seelenlebens ist an soziale Erlebnisse der frühesten Kindheit gebunden (vgl. Kapitel »Soziale Entwicklung« ab Seite 90). Zwischenmenschliche Beziehungen sind Gefühlsbeziehungen. Sie werden im Laufe der Kindheit erst nach und nach geweckt.

Das Gemüt, die Gefühlstiefe sind entscheidend für die Kontaktfähigkeit eines Menschen. Gemütreich sein, das heißt mitfühlen können, warmherzig sein, hilfreich, liebesfähig und bindungsfähig sein.

**Soziale
Behinderung**

Je höher der soziale Entwicklungsstand eines Kindes ist, desto gemeinschaftsfähiger wird es sein. Gemütsarme Kinder sind kontaktunfähig. Ihr Mangel an sozialen Gefühlen stellt eine echte Behinderung dar (vgl. Kapitel »Gestörte Sozialentwicklung« ab Seite 111).

**Diagnostik
als Vorsorge**

Die Feststellung eines altersgemäßen Entwicklungsstandes des sozialen Funktionsbereichs ist eine äußerst wichtige Vorsorgemaßnahme. Denn aufgrund einer rechtzeitigen Entwicklungsüberprüfung können Verzögerungen und Störungen schon im Ansatz erkannt werden. Dadurch können Eltern früh genug einen Kinderpsychiater oder Kinderpsychotherapeuten aufsuchen, damit fachgerechte Hilfen gegeben werden können.

Anleitung

Bei der Handhabung des Sozialentwicklungsgitters sind die gleichen Vorschriften und Hinweise zu beachten, wie sie im Kapitel »Anleitung zum Gebrauch des Gitters« ab Seite 9 angegeben sind. Auch hier enthalten die nachstehenden Fragebögen genaueste Instruktionen über Art, Durchführung und Auswertung der einzelnen Aufgaben.

Psychosoziales Entwicklungsgitter (0 bis 4 Jahre)

	S. Sozialkontakt
4;0 Jahre (48 Monate)	(48) Bleibt nachts trocken
	(47) Gibt Süßigkeiten ab
	(46) Macht Kreisspiele mit
	(45) Spielt allein draußen
	(44) Sagt: »Ich hab' dich lieb«
	(43) Hat spezielle Freunde
3;6 Jahre (42 Monate)	(42) Unterbricht Lärm auf Bitten
	(41) Spielt gern mit anderen*
	(40) Macht gern etwas vor
	(39) Ist froh über neue Kleidung
	(38) Stellt viele Fragen
	(37) Ist stolz über Lob
3;0 Jahre (36 Monate)	(36) Spricht von sich als »ich«
	(35) Spielt gern Tierrollen
	(34) Führt gern Aufträge aus
	(33) Bringt gern andere zum Lachen
	(32) Wartet, bis es dran ist
	(31) Ist eifersüchtig auf andere
2;6 Jahre (30 Monate)	(30) Bleibt tagsüber sauber
	(29) Füttert Teddy oder Puppe
	(28) Ist froh über neue Gerichte
	(27) Nennt sich beim Vornamen
	(26) Zeigt Zuneigung zu anderen
	(25) Hilft im Haushalt*
2;0 Jahre (24 Monate)	(24) Sagt, wenn es etwas möchte
	(23) Ahmt Fegen, Kochen nach*
	(22) Plappert beim Bildbesehen
	(21) Kann sinnvoll allein spielen
	(20) Kommt freudig entgegen
	(19) Drückt und streichelt Spieltier
1;6 Jahre (18 Monate)	(18) Zeigt sein Spielzeug her
	(17) Rollt Ball zurück*
	(16) Hilft beim Anziehen, holt Schuhe
	(15) Reagiert auf Handhinstrecken
	(14) Klatscht bei »backe Kuchen«*
	(13) Macht »winke winke« nach*
1;0 Jahre (12 Monate)	(12) Erwidert aktiv Zärtlichkeiten
	(11) Hält Ding bei Wegnahme fest*
	(10) Spielt mit Spiegelbild*
	(9) Reagiert auf Tuchversteckspiel*
	(8) Streckt Mutter Ärmchen entgegen
	(7) Lallt fröhlich in seinem Bett
0;6 Jahre (6 Monate)	(6) Stoppt Weinen, wenn aufgenommen
	(5) Weint, wenn man weggeht
	(4) Kräht freudig, wenn Mutter kommt
	(3) Lutscht an Fingern und Handrücken
	(2) Lächelt die Mutter an*
	(1) Betatscht die Mutter
	Summe der Wertungen

Anmerkung: Die Alterswerte gelten für Spätentwickler. Etwa 90 Prozent der Kinder erfüllen die angegebenen Aufgaben. Die mit * bezeichneten Items sind statistisch gesichert.

2.2. Fragebogen zum Sozialentwicklungsgitter

S. 1. Betatscht die Mutter ☐

*Berührt das Kind, wenn es auf den Arm genommen wird, Gesicht oder andere Körper-
bzw. Kleidungsteile der Mutter oder einer anderen Beziehungsperson?*

Beobachten Sie in dieser Situation, ob die Händchen des Kindes bei rein zufälligen
Bewegungen, wenn die Finger irgendwo Widerstand finden, zu tasten und zu tatschen
beginnen.

Kommen solche **Reaktionen häufig** vor und sind sie **deutlich** zu erkennen, so ist dies
mit **gekonnt** zu bewerten.

Bei nur **seltener** und **schwacher Reaktion** soll dies als **halb gekonnt** angerechnet
werden.

Erfolgt **gar keine Reaktion,** so gilt dies als **nicht gekonnt.**

S. 2. Lächelt die Mutter an ☐

*Lächelt das Kind der Mutter oder einer anderen Beziehungsperson zu, wenn diese sich
sprechend und lächelnd über sein Gesicht beugt?*

Bewertung wie bei Aufgabe S. 1.

S. 3. Lutscht an Fingern und Handrücken ☐

*Macht das Kind Saug- und Lutschbewegungen, wenn es mit dem Mund seine eigenen
Finger oder Händchen berührt?*

Bewertung wie bei Aufgabe S. 1.

S. 4. Kräht freudig, wenn Mutter kommt ☐

*Löst das Erscheinen der Mutter oder einer anderen mütterlichen Pflegeperson beim
Kinde jauchzende und krähende Laute als Zeichen der Freude aus?*

Bewertung wie bei Aufgabe S. 1.

S. 5. Weint, wenn man weggeht ☐

*Löst das plötzliche Weggehen einer engen Beziehungsperson, die sich vorher inten-
siv mit dem Kind beschäftigt hat, weinerliche Laute oder Schreien als Zeichen der
Traurigkeit aus?*

Bewertung wie bei Aufgabe S. 1.

S. 6. Stoppt Weinen, wenn aufgenommen ☐

*Hört das weinende Kind, wenn es von der Mutter oder einer engeren Pflegeperson
aus dem Bettchen heraus auf den Arm genommen wird, allmählich mit dem Weinen
auf?*

Wichtig: Der Grund des kindlichen Weinens sollte ein mehr oder weniger starkes
Verlassenheitsgefühl, nachdem man weggegangen ist, sein. Weint das Kind aus
Hunger oder weil es naß liegt oder Schmerzen hat, so kann diese Prüfung nicht vor-
genommen werden.

Bewertung wie bei Aufgabe S. 1.

S. 7. Lallt fröhlich in seinem Bett ☐

*Gibt das Kind während des Wachseins, wenn es satt und trocken in seinem Bett-
chen liegt, fröhliche Lautäußerungen als Zeichen des Wohlbehagens von sich?*

Die Aufgabe ist mit **gekonnt** zu bewerten, wenn es derartige lallende Laute etwa 1 Minute lang in schneller Folge (wenn auch mit kurzen Pausen dazwischen) hervorbringt und dies häufig beobachtet werden kann.
Lallt das Kind nur selten, wenn es allein ist, so gilt dies als **halb gekonnt.**
Hat es nie richtig gelallt, so ist dies mit **nicht gekonnt** zu bewerten.

S. 8. Streckt Mutter Ärmchen entgegen ☐

Streckt das Kind seine Ärmchen nach der Mutter oder einer anderen Beziehungsperson aus, wenn diese an sein Bettchen tritt?
Es soll hierdurch zum Ausdruck bringen, daß es gern auf den Arm oder aus dem Bettchen herausgenommen werden möchte.
Bewertung wie bei Aufgabe S. 1.

S. 9. Reagiert auf Tuchversteckspiel ☐

Zeigt das Kind Erwartung und Freude beim Wiedererscheinen des Gesichts einer vertrauten Person, nachdem dieses Gesicht mehrmals durch Davorhalten eines Tuches oder Papierbogens kurzzeitig den Blicken des Kindes entzogen war?
Bewertung wie bei Aufgabe S. 1.

S. 10. Spielt mit Spiegelbild ☐

Beginnt das Kind, beim Anblick seines eigenen Spiegelbildes sich spielerisch damit zu befassen, indem es danach zu greifen versucht?
Lächeln allein genügt nicht. Es muß die Hände aktiv gebrauchen.
Bewertung wie bei Aufgabe S. 1.

S. 11. Hält Ding bei Wegnahme fest ☐

Widersetzt sich das Kind der Wegnahme eines Spielzeuges, das es gerade in der Hand hat, indem es dies festhält?
Wichtig: Das Kind soll nicht zur Hergabe des Spielzeuges aufgefordert oder dazu überredet werden. Statt dessen soll man wortlos nach dem Spielgegenstand greifen, während es vom Kind in der Hand gehalten wird, um es ihm langsam wegzunehmen.
Bewertung wie bei Aufgabe S. 1.

S. 12. Erwidert aktiv Zärtlichkeiten ☐

Gibt das Kind einer erwachsenen Beziehungsperson Zärtlichkeiten zurück, indem es sein Köpfchen an sie schmiegt, sie küßt oder streichelt?
Bewertung wie bei Aufgabe S. 1.

Die Funktionen des 2. Lebensjahres

S. 13. Macht »winke winke« nach ☐

Macht das Kind mit seinem Händchen eine Winkbewegung, wenn man es ihm vormacht und dabei die Worte »winke winke« sagt?
Reagiert das Kind in der wirklichen oder gespielten Situation des Abschiednehmens **häufig** dadurch, daß es Ihnen **deutlich** zuwinkt, so ist dies mit **gekonnt** zu bewerten.
Bei **seltener und undeutlicher Reaktion** geben Sie **halb gekonnt.**
Erfolgt **gar keine Reaktion,** so gilt dies als **nicht gekonnt.**

S. 14. Klatscht bei »backe Kuchen« ☐

Klatscht das Kind, ohne daß die Bewegungen geführt werden, spontan fortlaufend in seine Händchen, wenn der Erwachsene ihm das Lied »backe, backe Kuchen, der Bäcker hat gerufen« vorsingt und dabei rhythmisch in seine Hände klatscht?

Bei körperbehinderten oder bewegungsgestörten Kindern ist auch der Ansatz des Händeklatschens positiv zu bewerten.
Weitere Wertung entsprechend der Aufgabe S. 13.

S. 15. Reagiert auf Handhinstrecken ☐

Reicht das Kind seinerseits das Händchen hin, wenn ihm beim Guten-Tag-Sagen die Hand hingestreckt wird?

Es ist nicht erforderlich, daß es auf diese Weise in jeder Situation reagiert. Es braucht auch kein Erwachsener zu sein, dem es die Hand gibt. Probieren Sie die Situation lieber mit einem Kasperle, mit einer Tierpuppe oder einem Teddy aus. Lassen Sie den Kasper mit dem Kind sprechen und es nach einer Weile auffordern, ihm »guten Tag« zu sagen. Dabei soll der Kasper dem Kind seine Hand hinstrecken.
Reagiert das Kind **wiederholt** (zweimal genügt) dadurch, daß es die hingehaltene Hand des Kaspers oder der Tierpuppe ergreift, so gilt die Aufgabe als **gekonnt.**
Hat das Kind nur **einmal** auf diese Weise reagiert, so ist dies als **halb gekonnt** zu bewerten.
Zeigt es **gar keine Reaktion,** so gilt dies als **nicht gekonnt.**

S. 16. Hilft beim Anziehen, holt Schuhe ☐

Hilft das Kind, wenn es angekleidet wird, indem es Ärmchen oder Beinchen hinstreckt, und holt es fehlende Kleidungsstücke wie Schuhe herbei?

Die Funktion soll dann als **gekonnt** bewertet werden, wenn beide Teilaufgaben **normalerweise** spontan ausgeführt werden. Mit anderen Worten: Reagiert das Kind **häufig** in der angegebenen Weise, z. B. wenn Sie absichtlich einmal die Schuhe nicht bereitgestellt haben, so gilt dies als **gekonnt.**
Hilft das Kind nur **selten aktiv** beim Ankleiden mit, so wird die Aufgabe als **halb gekonnt** bewertet.
Ist es dabei völlig **passiv,** so ist **nicht gekonnt** einzusetzen.

S. 17. Rollt Ball zurück ☐

Kullert das Kind, wenn es einem Spielpartner breitbeinig gegenüber am Boden sitzt, den ihm zugerollten Ball wieder zurück?

Bewertung entsprechend der Aufgabe S. 13.

S. 18. Zeigt sein Spielzeug her ☐

Läßt das Kind einen vertrauten Erwachsenen dadurch an seinem Spiel teilnehmen, daß es ihm irgendeinen Gegenstand spontan hinhält, damit er ihn ansieht, beachtet oder bewundert?

Bewertung entsprechend der Aufgabe S. 13.

S. 19. Drückt und streichelt Spieltier ☐

Ist das Kind zärtlich mit einem Spieltier oder einer Puppe, indem es sie spontan an sich preßt, streichelt oder Küßchen gibt?

Wurde dies **des öfteren** beobachtet, so ist dies mit **gekonnt** zu bewerten.

Tut es dies erst auf Aufforderung, so gilt die Aufgabe nur als **halb gekonnt,** ebenfalls, wenn das Streicheln und Kosen nur **ausnahmsweise** beobachtet wurde.

Hat das Kind **noch nie** Zärtlichkeit gegenüber seinem Spieltier gezeigt, so ist die Aufgabe **nicht gekonnt.**

S. 20. Kommt freudig entgegen ☐

Kommt das Kind, nachdem es eine vertraute Person erkannt hat, freudig auf diese zugelaufen?

Bei körperversehrten Kindern, die nicht laufen können, sollen andere Reaktionen wie Rufen, Händeklatschen usw. entsprechend positiv beurteilt werden.

Wertung erfolgt entsprechend Aufgabe S. 13.

S. 21. Kann sinnvoll allein spielen ☐

Kann das Kind, wenn es für einige Zeit sich selbst überlassen ist, sich im sinnvollen Spiel allein beschäftigen?

Ist bei seinem Spiel eine Idee zu erkennen, indem es z. B. etwas aus der Erwachsenenwelt **nachspielt** (Auto in die Garage fahren, Püppchen anziehen usw.), so ist dies mit **gekonnt** zu bewerten.

Sortiert das Kind die verschiedenen Spielgegenstände nur nach bestimmten Gesichtspunkten, ohne eine Spielidee zu verfolgen, so gilt die Aufgabe als **halb gekonnt.**

Läßt es sich lediglich von der **Funktion** des Spielzeuges leiten, indem es z. B. ein Auto nur stereotyp hin- und herschiebt, statt damit sinnvoll zu spielen, so gilt dies als **nicht gekonnt.**

S. 22. Plappert beim Bildbesehen ☐

Spricht das Kind, während es ein Bilderbuch beguckt, munter drauflos?

Es kommt nicht darauf an, daß es sinnvolle und auf das jeweilige Bild bezogene Worte sind. Auch selbsterfundenes Kauderwelsch rechnet als positive Reaktion.

Weitere Wertung wie bei Aufgabe S. 13.

S. 23. Ahmt Fegen, Kochen nach ☐

Führt das Kind Tätigkeiten aus, die es bei anderen Kindern oder bei Erwachsenen täglich beobachten konnte?

Gültig sind irgendwelche Handlungen, die erkennen lassen, daß es seine Umgebung aufmerksam beobachtet hat.

Bewertung wie bei Aufgabe S. 13.

S. 24. Sagt, wenn es etwas möchte ☐

Äußert sich das Kind in Gesten, durch Laute oder Worte, wenn es etwas Bestimmtes tun oder haben will?

Die Aufgabe ist als **gekonnt** zu bewerten, wenn es dies **häufig** tut und wenn **deutlich** zu erkennen ist, was das Kind möchte.

Gibt es das nur **selten** oder **undeutlich** zu erkennen, so gilt dies als **halb gekonnt.**

Führt das Kind nur die Hand des Erwachsenen, äußert seinen Wunsch aber weder durch Gesten noch durch Sprache, so gilt die Aufgabe als **nicht gekonnt.**

Die Funktionen des 3. Lebensjahres

S. 25. Hilft im Haushalt ☐

Bietet das Kind seine Hilfe bei einfachen Hausarbeiten an und führt sie dann auch durch?

Die Aufgabe ist als **gekonnt** zu bewerten, wenn es **öfters** helfen möchte und kleine Aufträge, z. B. etwas zu holen oder wegzuräumen, auch tatsächlich ausführt.

Kommt dies nur **selten** vor oder versieht das Kind die gegebene Aufgabe nur **unvollständig**, so gilt dies als **halb gekonnt**.

Bietet das Kind seine Hilfe **nicht** an und führt es auch selbständig **keine** Aufräumarbeiten durch, so ist die Aufgabe **nicht gekonnt**.

S. 26. Zeigt Zuneigung zu anderen ☐

Läßt das Kind durch sein Verhalten erkennen, daß es außer den ihm vertrauten Bezugspersonen auch andere Erwachsene oder Kinder gern mag?

Die Aufgabe ist als **gekonnt** zu bewerten, wenn das Kind einer bisher fremden Person **deutlich** seine Sympathie entgegenbringt, indem es ihre Nähe sucht oder ihre Hand nimmt, sich ihr auf den Schoß setzt, sein Köpfchen anschmiegt usw.

Sind seine Sympathiekundgebungen nicht deutlich erkennbar, so wird **halb gekonnt** angerechnet.

Zeigt das Kind zu keinen anderen als den ganz engen Bezugspersonen (Mutter, Vater, Geschwister, Oma, Opa) Zuneigung, so gilt die Aufgabe als **nicht gekonnt**.

S. 27. Nennt sich beim Vornamen ☐

Spricht das Kind, wenn es sich selbst meint, in der dritten Person, indem es sich beim eigenen Vornamen bzw. dessen Abkürzung nennt? (Beispiel: »Ulli auch!« oder »Tina lieb!«)

Wichtig: Sagt es statt dessen »ich«, so bekundet es damit einen höheren Entwicklungsstand (vgl. Aufgabe S. 36). In diesem Fall ist die Aufgabe selbstverständlich als **gekonnt** zu werten. Sie ist ebenfalls **gekonnt,** wenn das Kind sich selbst **in der Regel** beim Vornamen nennt.

Geschieht dies nur **selten**, so ist die Aufgabe **halb gekonnt**.

Nennt sich das Kind noch **gar nicht** beim Vornamen, so gilt dies als **nicht gekonnt**.

S. 28. Ist froh über neue Gerichte ☐

Zeigt das Kind Freude über abwechslungsreiche Kost und probiert es gern einmal etwas Neues, das auf den Tisch kommt?

Die Aufgabe ist **gekonnt,** wenn es **im allgemeinen** auf neue oder ungewohnte Mahlzeiten gespannt ist und diese gern probiert. Dabei spielt es keine Rolle, ob das Kind einzelne Nahrungsmittel gänzlich ablehnt.

Ist es ihm ziemlich gleichgültig, was man ihm vorsetzt, und zeigt es weder Bevorzugungen oder Ablehnungen im Essen, so ist dies mit **halb gekonnt** zu bewerten.

Lehnt es neue Gerichte grundsätzlich ab, so gilt dies als **nicht gekonnt**.

S. 29. Füttert Teddy oder Puppe ☐

Gibt das Kind seinen Spieltieren oder Puppen, wenn es mit ihnen spielt, zu essen und zu trinken?

Wenn dies **des öfteren** beobachtet wurde, so ist die Aufgabe als **gekonnt** zu bewerten.
Wurde es nur **selten** beobachtet, so gilt dies als **halb gekonnt**.
Wurde es **nie** beobachtet, so gilt dies als **nicht gekonnt**.

S. 30. Bleibt tagsüber sauber ☐

Ist das Kind in der Lage, während des Tages trocken und sauber zu bleiben?

Die Aufgabe ist **gekonnt**, wenn das Kind **im allgemeinen** (von gelegentlichen »Pannen« abgesehen) dazu in der Lage ist.
Näßt es doch **häufiger** ein, so ist dies mit **halb gekonnt** zu bewerten.
Kotet es häufig tagsüber ein, so gilt dies als **nicht gekonnt**.

S. 31. Ist eifersüchtig auf andere ☐

Zeigt das Kind Eifersucht, wenn andere Kinder vorgezogen werden?

Wenn Sie in irgendeiner Situation feststellen konnten, daß erhöhte Zuwendung und Zärtlichkeit einem anderen Kind (z. B. einem Geschwister) gegenüber, bei dem Kind Eifersuchtsreaktionen hervorgerufen haben, so ist dies mit **gekonnt** zu bewerten.
Zeigt das Kind sich dabei nicht sonderlich berührt, haben Sie aber trotzdem das Gefühl, daß es eifersüchtig ist und es nur nicht zeigen will, so bewerten Sie dies mit **halb gekonnt**.
Zeigt es **überhaupt keine Reaktion**, so gilt dies als **nicht gekonnt**.

S. 32. Wartet, bis es dran ist ☐

Kann das Kind sich schon so weit in die Kindergemeinschaft einordnen, daß es abwarten und andere vorlassen kann, bis die Reihe an ihm ist?

Tut es dies **im allgemeinen**, so ist dies mit **gekonnt** zu bewerten.
Tut es dies nur **gelegentlich** oder nur unter Zwang, so gilt dies als **halb gekonnt**.
Zeigt es **gar keine Einsicht** dafür, daß es sich beim Empfang einer Süßigkeit, beim Schaukeln usw. einer Reihenfolge unterwerfen muß, so gilt die Aufgabe als **nicht gekonnt**.

S. 33. Bringt andere gern zum Lachen ☐

Wiederholt das Kind eine Handlung oder einen Satz, wenn es gemerkt hat, daß es damit jemanden zum Lachen gebracht hat?

Die Aufgabe ist **gekonnt**, wenn dies schon **des öfteren** der Fall war.
Konnten Sie es nur **selten beobachten**, so gilt dies als **halb gekonnt**.
Hat es **gar keinen Spaß** daran, andere zum Lachen zu bringen, so ist die Aufgabe **nicht gekonnt**.

S. 34. Führt gern Aufträge aus ☐

Macht es dem Kind Freude, etwas für jemanden, der es um einen Gefallen bittet, tun zu können?

Ist dies **im allgemeinen** der Fall, so gilt die Aufgabe als **gekonnt**.
Tut es dies nur selten oder hat es offenbar keinen Spaß am Ausführen eines gegebenen Auftrages, so gilt dies als **halb gekonnt**.
Reagiert es auf Aufforderung **gar nicht**, so gilt dies als **nicht gekonnt**.

S. 35. Spielt gern Tierrollen ☐

Hat das Kind Freude daran, Kätzchen, Hund, Pferdchen oder andere Tiere zu spielen?

Konnten Sie das **des öfteren** beobachten und geht das Kind auf eine entsprechende Anregung sofort ein, so ist die Aufgabe als **gekonnt** zu bewerten.
Spielt das Kind nur **selten** eine Tierrolle und geht es auf entsprechende Spielvorschläge nicht spontan ein, so gilt dies als **halb gekonnt**.

Spielt es **nie Tierrollen** und geht es auch nicht auf Spielvorschläge ein, so ist dies mit **nicht gekonnt** zu bewerten.

S. 36. Spricht von sich als »ich« ☐

Verwendet das Kind, wenn es von sich selbst spricht, nicht mehr seinen Vornamen, sondern das Wort »ich«?

Ist dies **im allgemeinen** der Fall, so ist die Aufgabe **gekonnt**.
Sagt das Kind nur **selten** »ich«, so gilt dies als **halb gekonnt**.
Hat es **noch nie** »ich« gesagt, so gilt dies als **nicht gekonnt**.

Die Funktionen des 4. Lebensjahres

S. 37. Ist stolz über Lob ☐

Freut sich das Kind über lobende und anerkennende Worte?

Zeigt sich das Kind **im allgemeinen** davon beeindruckt, wenn es von einem Erwachsenen für gutes Benehmen oder die Erledigung eines Auftrages gelobt wird, so ist dies mit **gekonnt** zu bewerten.
Ist es nur **selten** über Lob zu erreichen und zeigt es sich **wenig beeindruckt,** so wird die Aufgabe mit **halb gekonnt** bewertet.
Machen Lob und Anerkennung **überhaupt** keinen Eindruck auf das Kind, so ist dies mit **nicht gekonnt** zu bewerten.

S. 38. Stellt viele Fragen ☐

Richtet das Kind, wenn es mit einem vertrauten Erwachsenen zusammen ist, viele Fragen an ihn?

Es kommt dabei nicht darauf an, ob das Kind wirklich eine Antwort haben möchte, sondern nur darauf, daß es durch **häufiges Fragen** mit einer Beziehungsperson aktiv Kontakt sucht. Wenn dies der Fall ist, so ist die Aufgabe **gekonnt**.
Bei nur **seltenem Fragen** ist **halb gekonnt** anzurechnen.
Fragt das Kind **überhaupt nicht,** so gilt dies als **nicht gekonnt**.

S. 39. Ist froh über neue Kleidung ☐

Zeigt das Kind Freude, wenn es neue Kleidungsstücke anziehen darf?

Die Aufgabe ist **gekonnt**, wenn es sich **im allgemeinen** darüber freut und sich z. B. stolz im Spiegel betrachtet. Dabei spielt es keine Rolle, ob das Kind einzelne Kleidungsstücke ablehnt, weil sie ihm nicht gefallen, weil sie kratzen u. dgl.
Zeigt das Kind nur **selten** und nur **wenig** Freude über etwas Neues zum Anziehen, so wird dies mit **halb gekonnt** bewertet.
Zeigt es **gar keine** innere Anteilnahme oder lehnt es neue Kleidung grundsätzlich ab, so gilt dies als **nicht gekonnt**.

S. 40. Macht gern etwas vor ☐

Führt das Kind Erwachsenen oder anderen Kindern gern Kunststücke oder Fertigkeiten vor, indem es z. B. eine Turnübung vormacht, etwas vortanzt, vorsingt oder ein Gedicht aufsagt?

Wenn das Kind gern die Gelegenheit benutzt, andere auf diese Weise zu unterhalten, so gilt die Aufgabe als **gekonnt**.

Hat das Kind nur **selten** anderen etwas vorgemacht, so ist dies mit **halb gekonnt** zu bewerten.
Hat es das **überhaupt noch nicht** getan, so gilt die Aufgabe als **nicht gekonnt**.

S. 41. Spielt gern mit anderen ☐

Nimmt das Kind gern aktiv an den Spielen anderer Kinder teil, indem es mit ihnen Verstecken, Fangen, Räuber und Gendarm oder andere Interaktionsspiele spielt?

Die Aufgabe gilt als **gekonnt,** wenn das Kind **gern** mit anderen gemeinsam spielt, selbst wenn es dazu wenig Gelegenheit hat.
Zeigt es kein besonderes Verlangen dazu und/oder hat es im Umgang mit anderen Kindern **Schwierigkeiten,** so ist dies mit **halb gekonnt** zu bewerten.
Gibt es dauernd Zank und Streit mit anderen, trotzt das Kind häufig, steht es abseits oder spielt es für sich allein parallel zu anderen, aber **nicht mit anderen Kindern,** so gilt dies als **nicht gekonnt.**

S. 42. Unterbricht Lärm auf Bitten ☐

Hält das Kind mit einer lärmenden Tätigkeit für eine Weile inne, wenn es in ruhigem Ton darum gebeten wird?

Die Aufgabe ist **gekonnt,** wenn das Kind einer solchen Bitte für **eine Minute** nachkommt und sich nach abermaliger bittender Aufforderung eine weitere Minute ruhig verhält.
Ist die Zeitspanne kürzer, sind aber doch **Ansätze des Bemühens** zur Selbstbeherrschung auf Bitten eines Erwachsenen vorhanden, so ist dies als **halb gekonnt** zu bewerten.
Reagiert das Kind **gar nicht** auf entsprechendes Bitten, sondern nur auf Anschreien und Strafandrohung, so gilt dies als **nicht gekonnt.**

S. 43. Hat spezielle Freunde ☐

Bevorzugt das Kind beim Spielen ein ganz bestimmtes anderes Kind als Freund?

Ist der **soziale Kontakt** zu dem als Freund erwählten Kind sehr **stark,** so daß das Kind häufig von ihm spricht und seine Gegenwart sucht, so gilt die Aufgabe als **gekonnt.**
Bei **schwächeren** sozialen Reaktionen ist die Aufgabe mit **halb gekonnt** zu bewerten.
Hat das Kind noch **keine engere Bindung** zu einem anderen Kind angeknüpft, d. h., fühlt es sich zu keinem bestimmten Kinde hingezogen, so gilt dies als **nicht gekonnt.**

S. 44. Sagt: »Ich hab' dich lieb« ☐

Äußert das Kind seine Zuneigung zu einer erwachsenen Beziehungsperson auch verbal, indem es liebevolle Worte dafür findet?

Geschieht dies **häufig,** so gilt die Aufgabe als **gekonnt.**
Kommt dies nur **selten** vor, so gilt dies als **halb gekonnt.**
Kommt es **gar nicht** vor, so ist **nicht gekonnt** einzusetzen.

S. 45. Spielt allein draußen ☐

Ist das Kind in der Lage, sich für eine halbe Stunde von der Mutter oder einer mütterlichen Pflegeperson zu trennen, um allein oder mit anderen Kindern unmittelbar vor, hinter oder neben dem Haus auf einem Spielplatz zu spielen?

Hat es dies ohne Schwierigkeiten schon **wiederholt** getan, so ist die Aufgabe als **gekonnt** zu bewerten.

Sind **Schwierigkeiten** aufgetreten, blieb das Kind weniger als eine halbe Stunde allein oder mit anderen Kindern draußen, so ist dies mit **halb gekonnt** zu bewerten. Mag es **gar nicht** allein hinausgehen, so gilt dies als **nicht gekonnt.**

S. 46. Macht Kreisspiele mit ☐

Kann es an üblichen Kreisspielen, wie sie im Kindergarten nach bestimmten Regeln gespielt werden, aktiv teilnehmen?

Die Aufgabe ist **gekonnt,** wenn sich das Kind **ohne Schwierigkeiten** einordnet, die Regeln einfacher Spiele wie »Katz und Maus« begreift und freudig daran teilnimmt.
Treten **häufig Schwierigkeiten** auf oder macht das Kind nur ungern mit, so ist dies als **halb gekonnt** zu bewerten.
Ist es **gar nicht** dazu in der Lage, so gilt dies als **nicht gekonnt.**

S. 47. Gibt Süßigkeiten ab ☐

Zeigt sich das Kind freigebig, wenn es genug Süßigkeiten hat, indem es einen Teil davon an andere verteilt?

Ist das Kind **im allgemeinen von sich aus** freigebig, so wird die Aufgabe als **gekonnt** bewertet.
Muß man es erst dazu auffordern, etwas abzugeben, kommt es der **Aufforderung** aber nach, so gilt dies als **halb gekonnt.**
Mag es **nichts abgeben,** so gilt dies als **nicht gekonnt.**

S. 48. Bleibt nachts trocken ☐

Kann das Kind seine Blasenfunktion auch während des Schlafens kontrollieren, so daß es nicht mehr das Bett naß macht?

Bleibt das Kind **in der Regel** während der Nacht (von gelegentlichen »Pannen« abgesehen) trocken, so ist die Aufgabe mit **gekonnt** zu bewerten.
Kommt es doch **häufiger** vor, daß es nachts einnäßt, so gilt dies als **halb gekonnt.**
Näßt es mehr ein, als daß es trocken bleibt, so ist dies mit **nicht gekonnt** zu bewerten.

B. Theoretische Grundlagen zum Aufbau des Entwicklungsgitters

3. Altersgemäße Entwicklung

3.1. Was ist Entwicklung?

Wenn ein Kind heranwächst, wird es nicht nur größer, schwerer und älter. Es wird auch stärker, geschickter und klüger. Damit erlangt es eine zunehmende Selbständigkeit. Es wird mit der Zeit immer unabhängiger. Sein Aktionsraum erweitert sich. Es erobert sich die Umwelt.

Umwelteroberung

Ein Kind, das sich entwickelt, versucht sich der Umgebung mehr und mehr anzupassen, d. h. sich darin immer besser zurechtzufinden. Um diese gewaltige Anpassungsleistung zu vollbringen, muß es sich schon früh im Gebrauch seiner Nerven und Muskeln üben. Es beginnt kurz nach der Geburt zu schmecken, zu riechen, zu fühlen, vor allem aber zu sehen und zu hören, was in der Umwelt vor sich geht.

Umweltanpassung

Dadurch werden seine Sinnesbahnen zum Gehirn »durchgeschaltet«. Erinnerungen an etwas Geschmecktes, Gefühltes, Gesehenes oder Gehörtes werden in den Hirnzellen gespeichert. Ohne Gedächtnis kann man nichts von dem, was man sieht oder hört, wiedererkennen, einordnen und begreifen.

Indem das Kind neu hereinkommende Sinneseindrücke mit schon im Gedächtnis verankerten vergleicht, beginnt es zu verstehen und die Erscheinungen der Umwelt richtig einzuordnen. »Das kenne ich; das habe ich schon einmal gesehen!« Nur so lernen Kinder, etwas Gleiches als gleich und etwas Verschiedenes als von dem Gleichen unterschiedlich anzusehen.

Lernen durch Sinneswahrnehmung

Dieses Aufnehmen und Verarbeiten von Umwelteindrücken ist aber nur eine Seite der kindlichen Lernerfahrungen. Das Kind muß nämlich auch lernen, wie man sich durch aktives Handeln mit der Umwelt auseinandersetzt. Dazu braucht es seine Bewegungsorgane. Mit ihrer Hilfe kann es lernend und experimentierend das vertiefen, was es durch die Sinne nur vage erfahren konnte.

Lernen durch Bewegungshandlungen

3.2. Das Kind lernt im Spiel

Spielhandlungen gehen immer von der »Befehlszentrale Gehirn« aus. Anreize dafür werden dem Gehirn über die verschiedenen Sinnesnervenbahnen zugeleitet. Vielleicht haben Sie schon einmal ein spielendes Baby beobachtet, das voller Eifer einen Karton von allen Seiten untersucht, ihn schüttelt, auf den Boden fallen läßt, sich darauf setzt, ihn vielleicht zerreißt, darauf

Experimentierspiel

herumkaut, das Naßgekaute beriecht und mit den Fingern zer-
reibt! Dieser Säugling erfährt spielerisch unter Einsatz all seiner
Sinnes- und Bewegungsorgane mehr über die Beschaffenheit
eines Kartons als bei jedem theoretischen Unterricht ...

**Ergreifen und
Begreifen**

Man sagt, das Betasten und Ergreifen mit der Hand unterstützen
das Begreifen mit dem Gehirn. Unser Beispiel zeigt, wie viel-
seitig schon das sehr junge Kind forschend und entdeckend
tätig ist. Voraussetzung ist allerdings, daß es auch genügend
einfache Materialien für Experimentierspiele zur Hand hat. Ein
Baby braucht Papier, Karton, Bast, Holz, Leder, Gummi, Stein,
Metall und Textilien mit unterschiedlichsten Greifqualitäten, um
seine vielen Lernbedürfnisse befriedigen zu können!

Das Gehirn des Säuglings saugt wie ein Schwamm alle nur
erhältlichen Informationen über die Dinge und Personen um ihn
herum auf. Es muß dem Kinde dabei aber ein entsprechender
Aktionsradius zur Verfügung stehen. Denn durch sein Handeln
tritt es in eine engere Verbindung zur Umwelt. Es nimmt Beziehungen auf, indem es sich seiner näheren Umgebung mitteilt.

**Bewegung als
elementarstes
Kommunikations-
mittel**

Jede Handlung ist eine Mitteilung an die Außenwelt. Zum Handeln braucht das Kind – wie das Wort schon sagt – vor allem
die Hände. Es benötigt aber auch seinen gesamten Körper. Vor
allem muß es sich selbständig von der Stelle fortbewegen können. Wie sollte es sonst an die Erscheinungen der Umwelt
herankommen? Was nützt der verlockendste Gegenstand am
Ende des Kinderzimmers, wenn es nicht zu ihm hinkrabbeln
und ihn näher in Augenschein nehmen kann?

So lernt das Kind während des ersten Lebensjahres, seine Wünsche und Bedürfnisse nicht nur über Stimme und Mimik, sondern
auch über Handlungen auszudrücken. Nur wenn es in seiner
Handlungsfreiheit beschränkt ist, zeigt es seinen Unwillen
durch Weinen an. Im zweiten Lebensjahr erwächst ihm aber
nach und nach das gebräuchlichste und wichtigste menschliche
Kommunikationsmittel: die Sprache. (Vgl. »Entwicklung der
Sprache«, ab Seite 88.)

3.3. Die richtigen Lernangebote

**Unterschiedliche
Lernvorau-
ssetzungen**

Im Laufe seiner Entwicklung lernt das Kind Geist und Körper
immer besser gebrauchen. Mittels all seiner Sinne und Muskeln
will es ständig neue Lernerfahrungen machen. Naturgemäß
bringt dabei jedes Kind andere Lernvoraussetzungen mit. Es
kommt aber ganz entscheidend darauf an, welche Lernangebote
schon dem Säugling im Elternhaus gemacht werden.

**Zwang und
Leistungsdruck
vermeiden**

Unter Lernangeboten soll jedoch nicht das sture und pausenlose
Einpauken von Wissen verstanden werden. Damit würden nur
der natürliche Lerneifer und die Freude am eigenen Fortschritt
erdrückt werden. Bei geistig zurückgebliebenen Kindern kann

man zwar auf gewisse Lernprogramme nicht verzichten, damit sie einigermaßen in der Welt zurechtkommen. Beim gesunden Kind hingegen können ehrgeizige Eltern mit Zwang und Leistungsdruck eher alles verderben.

Lernen sollte vielmehr erlebnisreiches und für den einzelnen erfolgreiches Spiel sein. Ein uraltes, von unseren Psychologen wiederentdecktes Lerngesetz besagt, daß der Lernerfolg in einer frohen und gelösten Atmosphäre am größten ist.

Lernen kann Spaß machen

Die Umwelt ist der natürliche Lehrmeister des Kindes. Jeder Hügel fordert zum Ersteigen, jeder Baum zum Erklettern auf. Jede Mauer reizt zum Drüberbalancieren, jeder Graben zum Drüberspringen. Jede Stange lockt zum Turnen, jedes Fahrzeug zum Ziehen, Schieben und Fahren. Damit schult das Kind in immer neuen Situationen Kraft und Körpergeschick.

Umwelt als Lehrmeister

Bälle, Luftballons und Reifen wollen in die Hand genommen, gedreht, gerollt und geworfen werden. Spielzeuge können untersucht, auseinandergenommen und zusammengebaut werden. Dabei macht das Kind auch ohne Hilfe von Erwachsenen täglich auf eigene Faust wichtige Lernerfahrungen. Und wenn es etwas nicht begreift oder Hilfe braucht, so wird es schon fragen.

3.4. Zu frühes Üben kann schaden

Den Eltern fällt im Grunde nur die Aufgabe zu, ihrem Kinde das Richtige zur rechten Zeit spielerisch nahezubringen. Das hört sich einfach an. Es verlangt aber mehr, als auf den ersten Blick hin vermutet werden kann. Die Eltern müssen wissen, was ihr Kind schon alles kann. Vor allem aber, welcher nächste Lernschritt über ein bestimmtes Übungsangebot erreicht werden soll. Je nach Entwicklungsstand müssen ganz verschiedene Spielanregungen an das Kind herangebracht werden.

Richtige Spiele zur rechten Zeit

Man muß sich immer wieder vergegenwärtigen, daß die gesamte kindliche Entwicklung in ständiger Auseinandersetzung mit den verschiedenen Umweltsituationen vor sich geht. Dabei lernt das Kind, sich mehr und mehr an das, was es in der Umwelt vorfindet, anzupassen.

Sich entwickeln heißt sich anpassen

Ein jüngeres Kind paßt sich natürlich unvollkommener an als ein älteres Kind, das schon einen höheren Leistungsstand erreicht hat. Bei älteren Kindern funktionieren Sinne, Muskeln und Nerven auf einer höheren Ebene. Sie können auf Grund ihrer fortgeschrittenen Gehirnreife auch größere Anpassungsleistungen vollbringen, und zwar sowohl geistig wie körperlich.

Gesteigerte Gehirnreife

Man kann von einem Kinde nur das verlangen, was es von seiner Gehirnreife her zu leisten vermag. Es wäre also unsinnig, einem Säugling schon mit 5 oder 6 Monaten das Laufen bei-

bringen zu wollen. Der Leistungsstand des zentralen Nerven-
systems ist dann eben noch nicht so weit. Die Gehversuche
müssen scheitern.

**Mißerfolge
vermeiden**

Wenn wir Leistungsanforderungen zu früh an ein Kind heran-
bringen, so sind damit leider auch immer Mißerfolge verbunden.
Das Kind wird durch vieles vergebliches Versuchen entmutigt,
so daß es später bei anderen, neuen Aufgaben wahrscheinlich
schnell die Lust verliert. Man kann das leider viel zu oft beobachten.

Beispiel

Da hat ein Vater seinem fünfjährigen Töchterchen wohlmeinend
ein paar Stelzen gekauft. Er weiß aber nicht, daß ein Kind in
diesem Alter im allgemeinen noch nicht über die nötige Körperbeherrschung und Gleichgewichtskontrolle verfügt und daß
es besser wäre, zu Anfang Konservendosen mit Bindfaden-
schlingen zu versehen, damit das Kind sich zuerst einmal mit
diesen Ministelzen vertraut machen kann. So müssen die so
freudig begonnenen Versuche mit den großen Holzstelzen
natürlich scheitern. Der Vater wird ungeduldig, da das kleine
Mädchen das Stelzenlaufen einfach nicht »kapieren« will. Und
es endet mit Schimpfen und Tränen, was so hoffnungsvoll be-
gann, im Grunde aber von vornherein hoffnungslos war.

Es ist die gleiche verfahrene Situation, in der sich ein Zwei-
jähriger vergeblich um das Auf- und Zuknöpfen seiner Kleidung
bemüht. Oder wenn man ihm so früh schon das Schereschneiden beizubringen versucht. Oder wenn man mit einem Drei-
oder Vierjährigen unbedingt schon das Schleifebinden üben
will. Diese Beispiele ließen sich beliebig erweitern. Zu frühe
Anforderungen bringen nichts ein. Sie enden für beide Seiten
immer mit Enttäuschung und Resignation.

3.5. Das Gehirn als Computer

**Hören, Sehen
und Verstehen**

Wir können im menschlichen Gehirn eine Art Computer sehen.
Er wird von Beginn seiner Existenz an, und zwar schon im Mut-
terleib, mit Signalen und Informationen aus der Umwelt »gefüttert«. Sie werden über die verschiedenen Sinnesnervenbahnen
dem Gehirn zugeleitet. Dem Computer Hirn fällt nun die Aufgabe zu, die vielfältigen Umweltmeldungen zu »entschlüsseln«.
D. h., er muß den Sinngehalt und die Bedeutung der in elektri-
sche Impulse umgewandelten Licht- oder Schallwellen heraus-
finden. Der Mensch wird dadurch befähigt, nicht nur zu hören
und zu sehen, sondern das Gehörte und Gesehene auch zu verstehen.

Wir wollen diesen geistigen Verarbeitungsprozeß im weiteren
vereinfachend als Intelligenz bezeichnen. Das Kind oder der
Erwachsene haben den Sinn des Gesehenen oder Gehörten
verstanden. Sie zeigen dies über ihre Bewegungsreaktionen.

Nehmen wir ein Baby, dem ein Fläschchen hingehalten wird.
Wenn es dieses »Signal« richtig verstanden hat, wird es uns
dies über entsprechende Mund- oder Handbewegungen kundtun
(vgl. Aufgabe A. 11. des Entwicklungsgitters).

Ohne diese »Bewegungsantworten« könnten wir niemals sicher
sein, ob ein Kind die über seine Sinnesorgane aufgenommenen
Informationen wirklich verstanden hat. Anfangs bestehen diese
Antworten in Handlungen, Gesten, mimischen und stimmlichen
Reaktionen. Später sogar aus schriftlichen Mitteilungen. Aber
dann hat es das Schulalter schon erreicht.

**Handlungen
sind Antworten
und Mitteilungen**

Immer sind es Körperteile (Rumpf, Gliedmaßen, Mund), die bewegt werden, um sich damit dem anderen Menschen mitzu-
teilen. Viele dieser Antworten und Mitteilungen sind unbewußt.
Andere werden bewußt und willkürlich als »Befehle« an die
entsprechenden Muskeln ausgegeben. Der Hirn-Computer prüft
indes genau nach, ob die herausgegebenen Mitteilungen und
Handlungen auch richtig waren. Das geschieht mit Hilfe der
Sinne, die ständig Rückmeldungen an unser Gehirn liefern. In
der Technik nennt man diesen Vorgang Rückkoppelung oder
Feedback.

**Ständige
Rückmeldungen
an das Gehirn**

Je nach der augenblicklichen Situation müssen unsere ursprünglichen Bewegungsbefehle, selbst wenn sie richtig waren, oft
blitzschnell abgeändert und der veränderten Lage neu angepaßt
werden. Will man beispielsweise einen Luftballon ergreifen
und dieser rollt durch einen unerwarteten Luftzug plötzlich
davon, so »sagen« einem die Augen, daß die Situation sich
verändert hat und die ursprüngliche Greifrichtung verändert
werden muß.

Die Anpassungsleistungen unseres Gehirn-Computers vollziehen sich, wie wir gesehen haben, selbsttätig und sich selbst
steuernd. Informationen werden über Auge, Ohr und den Tastsinn der Haut aufgenommen und über die Sinnesnervenbahnen

**Selbstregulative
Steuerung**

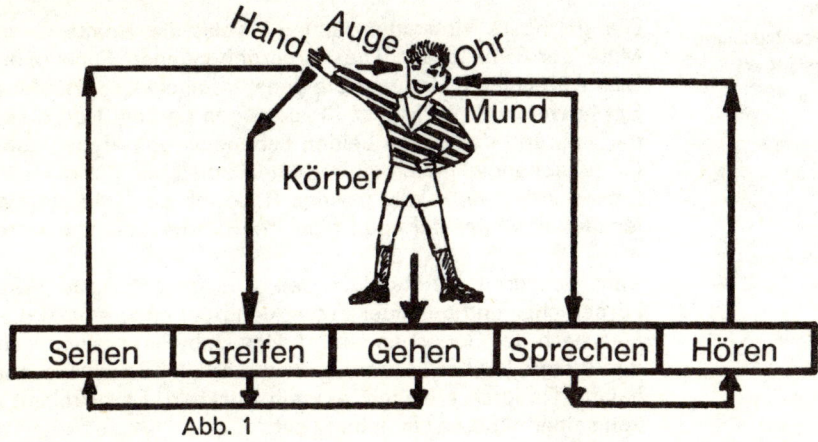

Abb. 1

dem Gehirn zugeleitet. Dort werden sie eingeordnet und geistig verarbeitet. Und je nachdem werden über einzelne Körperteile, zu denen ja auch der Mund gehört, Antworten an die Umwelt abgegeben. Von dort werden sie mit Hilfe der Sinnesorgane wieder zum Gehirn rückgemeldet, d. h. kontrolliert.

In der vorstehenden Zeichnung sehen wir diesen Regelkreislauf schematisch abgebildet: Das Kind nimmt seine hauptsächlichen Informationen über Auge und Ohr auf. (Der Tastsinn ist in diesem vereinfachten Schema nicht einbezogen worden.) Und es gibt über Hände, Körper und Mund Antwort. Dazwischen liegt der Prozeß der geistigen Verarbeitung.

Unterschiedliche Intelligenzanteile

Die in Abb. 1 dargestellten fünf Funktionen des Sehens, Greifens, Gehens, Sprechens und Hörens wurden in gleicher Anordnung in das Entwicklungsgitter übernommen. Abb. 2 zeigt das vereinfachte Schema dieses Gitters. Zu seinem Aufbau ist zu sagen, daß die informationsverarbeitende Intelligenz im Grunde nicht getrennt von der Informationsaufnahme und -abgabe gesehen werden kann. So finden wir Intelligenzanteile in allen fünf Spalten, jedoch mit unterschiedlicher Gewichtung.

Schema des Entwicklungsgitters

	A. Optische Wahrnehmung (Sehen)	B. Hand- geschick (Greifen)	C. Körper- kontrolle (Gehen)	D. Sprache (Sprechen)	E. Akustische Wahrnehmung (Hören)	
4. Jahr						4. Jahr
3. Jahr						3. Jahr
2. Jahr						2. Jahr
1. Jahr						1. Jahr

Abb. 2

3.6. Entwicklung der Körperkontrolle

Körperentwicklung hilft geistiger Entwicklung

Die geringste ›Intelligenzladung‹ weist die Spalte C. in der Mitte der Tabelle auf. Die körpergebundenen Funktionen des Sich-Aufrichtens, Gehens, Steigens, Balancierens, Hüpfens und Springens sind nur Mittler für geistiges Lernen. Und dies auch nur während der ersten beiden Lebensjahre, in denen das Kind Ortsunabhängigkeit erlangt. Später spielt es für die geistige Entwicklung eine relativ geringe Rolle, ob ein Kind nun schneller laufen, weiter springen oder geschickter balancieren kann.

Zum besseren Verständnis des Zusammenhanges zwischen körperlicher und geistiger Entwicklung sei noch einmal die Zeit kurz nach der Geburt angeführt. Das Baby lernt schon während der ersten Lebenswochen, seinen Kopf in Bauchlage hochzuhalten. Dadurch erweitert es sein Blickfeld. Es bekommt mehr von seiner näheren Umgebung mit.

Die Augen bekommen noch mehr Neues und Interessantes zu sehen, wenn es sich einige Monate danach mit den Unterarmen und schließlich mit den Händen abzustützen vermag. Die Haltekraft der Nacken- und Rückenmuskeln wird somit in diesem Alter zu einer wichtigen Voraussetzung für optische und später auch für handgeschickliche Lernerfahrungen. Denn wie sollte ein Säugling, ohne das Köpfchen geradehalten zu können, seine Umwelt beobachtend wahrnehmen und greifend erfahren? **Umweltbeobachtung, Umwelterfahrung**

Indem er sich aufsetzt und sich später am Gitter des Bettchens oder Laufstalls zum Stand emporzieht, drängt es ihn mit aller Macht zur Umweltentdeckung. Wenn erst die optische Neugierde erwacht, dann will er die Raumgrenzen überwinden. Er möchte aktiv teilhaben am Leben um ihn herum. **Sitzen und Stehen**

Etwa zur gleichen Zeit lernt der Säugling, sich auf allen vieren krabbelnd vorwärtszubewegen. Nun dauert es normalerweise nicht mehr allzu lange, bis er zum »Zweibeiner« wird und aufrecht stehend und gehend die nähere und fernere Umgebung erforscht. **Sich fortbewegen**

Im zweiten Lebensjahr werden Treppen erstiegen und Stühle erklettert, wobei die Ausflüge schon in andere Zimmer, Stockwerke und natürlich nach draußen gehen. Immer und überall untersuchen die Händchen alles, was sie nur irgendwo fassen, herunterreißen, betasten, beklopfen, umdrehen, rollen und werfen können. **Steigen und Klettern**

In diesen ersten zwei Jahren ist die Entwicklung und Ausbildung der Intelligenz sehr eng mit der Entwicklung der Körperkontrolle und Fortbewegung verknüpft. Dennoch kommt der körperlichen Entwicklung auch in den folgenden Jahren der Kindheit eine enorme Bedeutung zu. Das gilt vor allem im Hinblick auf das seelische Gleichgewicht und die soziale Anpassung des Kindes.

Das ältere Kind strebt nach körperlicher Geschicklichkeit. Es möchte sich natürlicherweise im Bewegungsbereich bewähren. Es will mittun, möchte dazugehören zur Kindergemeinschaft. Es liegt ihm viel daran, etwas zu gelten, von den anderen anerkannt und beachtet zu werden. **Körpergeschick und soziale Entwicklung**

Welches Kind wollte sich nicht an den Spielen der anderen beteiligen? Und da die meisten kindlichen Spiele Bewegungsspiele sind, braucht der, der mitmachen will, die volle Bewegungsfähigkeit seines Körpers. **Bewegungsspiele mit andern**

Ungeschickte Kinder werden von den anderen zurückgewiesen. Sie werden in die Gemeinschaft Gleichaltriger meist nicht aufgenommen. Man akzeptiert sie einfach nicht. Oft macht man sich sogar lustig über sie. Kein Wunder, daß solch ein gedemütigter Außenseiter aufhört, an sich selbst zu glauben. Die Folge ist, daß er sich nun seinerseits zurückzieht, um gar nicht erst in **Bewegungsungeschick**

Versagenssituationen zu kommen. Lieber etwas gar nicht erst versuchen, als am Ende doch wieder verlieren zu müssen!

3.7. Entwicklung des Handgeschicks

Handeln vermittelt Einsichten in Zusammenhänge

In der Spalte der Handgeschicklichkeit finden wir eine gegenüber dem Körpergeschick sehr viel engere Beziehung zur geistigen Tätigkeit. Wenn ein Kind seine Hände greifend und fühlend zum Untersuchen von allen möglichen Gegenständen gebraucht, so macht es damit Lernerfahrungen. Ob es etwas öffnet oder auspackt, um nachzusehen, was wohl drin ist, ob es an etwas dreht oder schraubt, immer gewinnt es Einsichten in Zusammenhänge.

Je älter ein Kind ist, desto mehr setzt es Hände und Finger ein, um Gesehenes nachzugestalten oder selbst Ausgedachtes zu verwirklichen. Es baut Häuser, Türme und Brücken, formt, zeichnet und malt alle möglichen Tiere und Menschen, Zahlen und Buchstaben, bis es schließlich zu schreiben beginnt.

Regelkreis des Sehens und Greifens

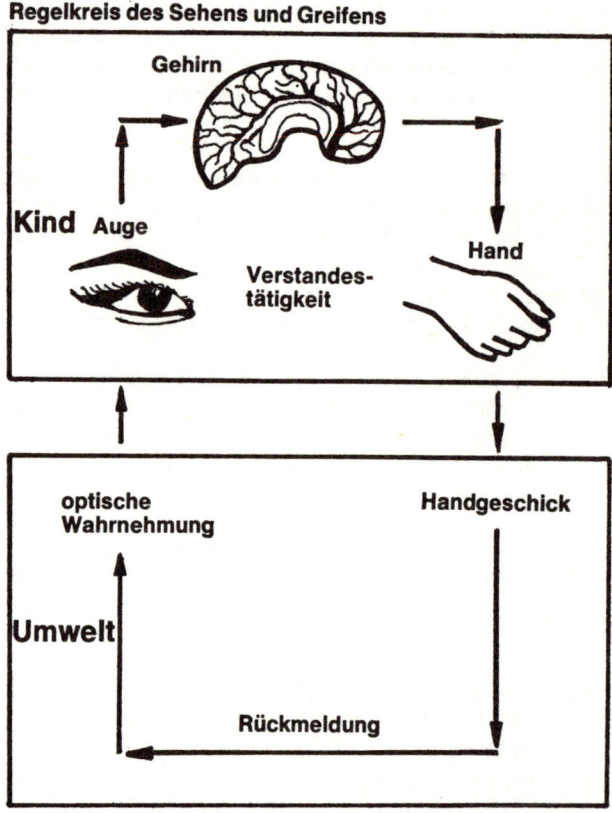

Abb. 3

Bei allen diesen Tätigkeiten helfen die Augen den Händen. Nur bei blinden Kindern übernimmt der Tastsinn die Führung und Orientierung. Normalerweise aber sind es die Augen, die den Händen »sagen«, was sie tun sollen.

Auge und Hand wirken zusammen

Erst kommt das Sehen, dann das Greifen! Es muß also die optische Orientierung vorangegangen sein, ehe die Hände zum sinnvollen Handeln eingesetzt werden können (vgl. Abb. 3).

Im Zusammenwirken von Auge und Hand entsteht also so etwas wie »praktische Intelligenz«. In unserem Gitter wird dieser grundlegende Regelkreis von optischem Wahrnehmen und handgeschicklichem Experimentieren durch die links nebeneinander liegenden senkrechten Spalten A. und B. erfaßt (vgl. Abb. 2). Ein hoher Entwicklungsstand in diesen beiden Säulen spricht für gute praktische Fähigkeiten.

Kein praktisches Handeln ohne geistige Lernprozesse

Der Bastler, der Techniker, Schlosser, Mechaniker verdankt seine Leistung vor allem diesen beiden Funktionsbereichen. Er muß Zusammenhänge und Beziehungen zwischen Gegenständen optisch erkennen und sie praktisch handelnd verändern. Alles, über das er nachdenkt, worüber er Schlüsse zieht, kontrolliert und überblickt er mittels seiner Augen und Hände.

3.8. Entwicklung der optischen Wahrnehmung

Alle konkret anschaulichen Denkleistungen basieren auf der Fähigkeit unserer Augen, bewegliche und feste Ziele zu fixieren, das heißt optisch festzuhalten. Erst muß der Mensch diese Grundform des Sehens lernen. Das tut das Baby schon in den ersten Wochen und Monaten seines Lebens. Ohne dieses »Augenmuskeltraining«, ohne optisches Zielverfolgen bei jeder sich nur bietenden Gelegenheit gäbe es kein Wiedererkennen und Unterscheiden als eigentliche Intelligenzleistung.

Augenbeweglichkeit

Das menschliche Auge verfügt über einen Muskelapparat, der die Optik – ähnlich wie bei einer Filmkamera – auf das zu betrachtende Objekt ausrichtet. Bei einem schielenden Kind fehlt den Augenmuskeln die freie Beweglichkeit. Ihre »Kamera« ist zwar fahrbar; denn auch das schielende Kind kann sich auf den betreffenden Gegenstand zubewegen. Sie ist auch schwenkbar. Der Kopf kann geneigt und gedreht werden. Was dem schielenden Auge allerdings nur begrenzt möglich ist, sind feinere Bewegungen des Augapfels selber. Das heißt, die Augenmuskeln können den Augapfel bei geradeaus gerichtetem Kopf nicht oder nur erschwert nach rechts, links, oben oder unten ziehen (vgl. »Das Baby schielt«, Seite 98).

»Filmkamera Auge«

Neben dieser Muskelmechanik besitzt das Auge vor allem einen optischen Apparat. Auch hier ist ein Vergleich zur Fototechnik angebracht. Das Auge arbeitet wie ein Fotoapparat. Entfernte

Vergleich zur Fototechnik

oder nahe Dinge werden durch automatische Änderung der Brechkraft in der Linse immer gleich scharf gesehen. Der »Film«, auf dem sie abgebildet werden, ist die hinter dem Auge befindliche Netzhaut. Direkt dahinter beginnt der Sehnerv, der die optischen Empfindungen an das Sehzentrum des Gehirns weiterleitet.

Beidäugiges Sehen will gelernt sein

Weil wir aber zwei Augen haben, gibt es zwei fast gleiche Bilder auf den Netzhäuten. Und eine der Hauptschwierigkeiten beim Sehenlernen ist zweifelsohne das gute Zusammenwirken beider Augen. Denn nur so können Doppelbilder verhütet werden.

Augen brauchen Umweltreize

Normalerweise vollziehen sich diese teils muskulären, teils optischen Anpassungsvorgänge schon relativ früh. Das schnell reagierende, jede Situationsänderung sofort erfassende beidäugige Sehen wird allerdings erst allmählich erlernt. Hier spielen Anregungen von seiten der Umwelt eine außerordentlich große Rolle. Geben Sie den Augen Ihres Kindes immer etwas Buntes, Bewegliches anzuschauen. Ein Baby, das nur weiße Betten, weiße Wände und Zimmerdecken zu sehen bekommt, wird niemals bewegliche und hellwache Augen bekommen.

Wacher Blick

Je aufmerksamer ein Kind seine Umwelt betrachtet, desto mehr Sehanregung hat es in seinem Leben gehabt und desto besser beherrscht es diesen wichtigsten aller Sinnesapparate. Denn mit dem Sehen steht und fällt sowohl das Handgeschick als auch die optische Wahrnehmung.

Sehend lernen

Die Spalte A. des Gitters gibt Aufschluß darüber, was ein Kind alles mit seinen Augen aus der Umwelt »herausholt«. Sehend lernen, sehend Erfahrungen machen, das ist – neben dem Tasten – die Urform des menschlichen Lernens. Man könnte diese Lernvorgänge vereinfacht als »optische Intelligenz« bezeichnen.

Wir hatten gesehen, daß dem Greifen eine wichtige Rolle beim optischen Intelligenzerwerb zukommt. Denn mit seinen Händchen bietet das Kind den Augen immer neues »Intelligenzfutter« an. Die eigentlichen geistigen Lernvorgänge finden aber in den entsprechenden Zentren des kindlichen Gehirnes statt.

Gleiches optisch wiedererkennen

So beginnt der Säugling zwischen dem 6. und 12. Lebensmonat, Personen und Dinge wiederzuerkennen. Er fürchtet sich beispielsweise um den 8. Monat herum plötzlich vor fremden Personen. Mit einem Mal genügt es nicht, wenn sich ihm irgendein lächelndes Gesicht zuwendet; es muß das Gesicht der Mutter sein, das er nun genau kennt.

Sich optisch etwas Verschwundenes vorstellen

Wenn es etwa ein Jahr alt ist, erkennt das Baby sein Fläschchen oder sein Lieblingstier wieder. Es ist nun auch in der Lage, etwas, was vor seinen Augen mit einem Tuch bedeckt wurde, wieder unter dem Verdeck hervorzuholen. Denn es hat begriffen, daß Dinge auch noch da sind, wenn man sie nicht sieht. Für das

Baby bedeutet das einen großen Schritt vorwärts in seiner geistigen Entwicklung. Es kann sich an das plötzlich verschwundene Spielzeug noch nach ein paar Sekunden erinnern. Damit hat es die Fähigkeit erreicht, sich einen Gegenstand vorzustellen, den es momentan gar nicht sehen kann.

Über all diesen Lernerfahrungen entwickelt sich Schritt für Schritt die »optische Intelligenz«. Gleiches wird wiedererkannt, Ungleiches vom Gleichen unterschieden. Zunächst gegenständlich, später auch auf Abbildungen, wie das beim Bilderlotto und anderen Sortierspielen der Fall ist.

Ungleiches unterscheiden

Gleiche Farben müssen im Laufe der Zeit einander zugeordnet werden. Desgleichen Größen und Formen. Bald wird das Kleinkind in der Lage sein, innerhalb lauter gleicher Farben, Formen oder Größen eine verschiedene auszusortieren. So geht es weiter, bis es zwei, drei oder noch mehr Farben, Formen und Größen auseinanderhalten kann.

Farben-, Formen-, Größenunterschiede

Dabei enthält die Gitterspalte A. nur die rein optischen Lernleistungen. Das Kind braucht also noch nicht zu wissen, wie die Farben heißen, die es gerade sortiert. Das gleiche gilt auch für das optische Erkennen von Mengenunterschieden. Oder beim Zuordnen zusammengehörender Dinge bzw. Bilder: Zum Beispiel alles, was man essen kann, alles, was man anziehen kann, alles, was man beim Bäcker oder Fleischer kaufen kann, alles, was Mutti in der Küche braucht, alles, was aus Plastik ist, was ins Badezimmer gehört, alles, was fliegt, fährt, läuft oder schwimmt, alles, was vier Beine hat, was Fell oder Federn hat.

Mengenunterschiede, Zusammengehörendes

3.9. Entwicklung der akustischen Wahrnehmung

Die »praktische Intelligenz« wurde – wie wir sehen – auf der Einnahmeseite durch die optische Wahrnehmung (Spalte A.) und auf der Ausgabeseite durch das Handgeschick (Spalte B.) repräsentiert.

»Theoretische Intelligenz«

Die »theoretische Intelligenz« hingegen wird aus dem Regelkreis von akustischer Wahrnehmung (Spalte E.) und Sprache (Spalte D.) gebildet (vgl. Abb. 4).

In der praktischen Intelligenz ist das Denken vor allem an das Hier und Jetzt gebunden. Das heißt, das Denken orientiert sich an Situationen, in denen die Augen momentan etwas Wirkliches vor sich sehen. Übergänge zur mehr theoretischen Form des Denkens finden sich dort, wo der Gegenstand zwar vorher da war, inzwischen aber weggenommen oder mit einem Tuch zugedeckt wurde. Wir haben dieses Beispiel schon erwähnt.

Sich an etwas erinnern, sich etwas, was man einmal gesehen

Sich erinnern

Regelkreis des Hörens und Sprechens

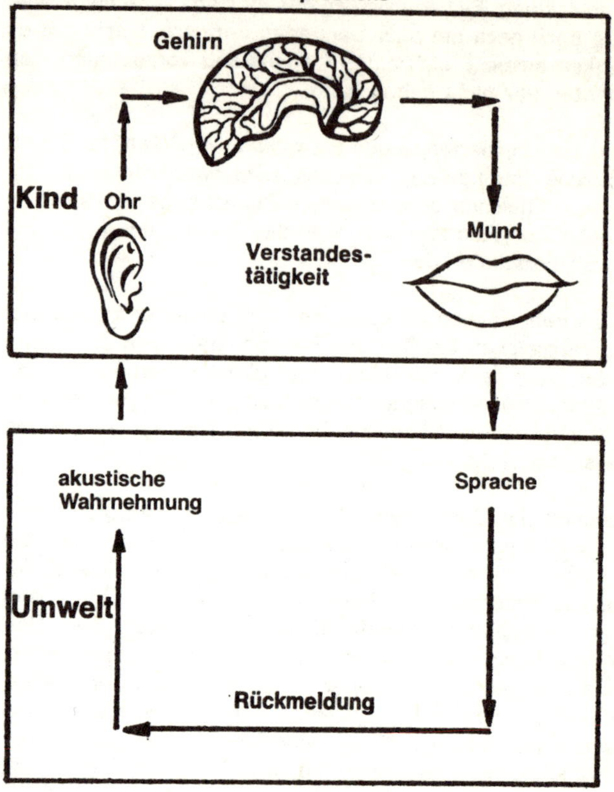

Kind Ohr

Gehirn

Mund

Verstandes-
tätigkeit

akustische
Wahrnehmung

Sprache

Umwelt

Rückmeldung

Abb. 4

oder erlebt hat, vorstellen und für die Zukunft, und sei es nur
für den nächsten Tag, im voraus planen, das sind schon ab-
strakte geistige Denkprozesse. Dabei kommt der Mensch letztlich nicht ohne die Sprache aus. Wir alle denken ja in Worten.
Eine nur vage Erinnerung wird sofort plastischer und kommt
klarer ins Bewußtsein, wenn wir sie in Worten wiedergeben.

In Worten denken

Im voraus planen

Es ist eine wichtige Trainingsform kindlichen Denkens, wenn ein
Klein- oder Vorschulkind das am Tage Erlebte jeden Abend
folgerichtig nacheinander zu erzählen versucht. Oder wenn es
am Morgen alles, was es für den ganzen Tag vorhat, ungefähr
im zeitlichen Ablauf bekanntgibt.

Aktive Sprachpflege

Bis das heranwachsende Kind für alle Dinge deren Eigenschaften und Tätigkeiten entsprechende Sprachbegriffe anwenden
kann, muß es vielfältige akustische Lernerfahrungen machen.
Je aktiver der familiäre Sprachkontakt gepflegt wird und je mehr
Sprachpartner das Kind hat, desto weitgehender kann sich seine
theoretische Intelligenz entwickeln. Auch hier gilt das Natur-
gesetz, daß Informationsaufnahme vor der Informationsabgabe
kommt.

Eine zwischenmenschliche Verständigung ist optimal nur über die Erinnerung an viele Namen, Bezeichnungen und Benennungen möglich. Dabei wird man abwechselnd zum empfangenden Zuhörer und zum mitteilenden Sprecher. Für alles und jedes gibt es »Wortetiketten«. Sie bilden den Grundstock unserer Sprache. Die Eingangspforte aller akustischen Intelligenzleistungen ist unser Ohr. Wie die Sehnerven die optischen Mitteilungen dem Gehirn weitergeben, so werden die akustischen Umweltsignale von den Gehörnerven zur Entschlüsselung dem Hör- und Sprachzentrum zugeleitet.

Verständigung durch »Wortetiketten«

Das Baby kann zunächst nur hören, ohne den Sinn des Gehörten zu verstehen. So war es ja auch bei den Augen. Auch hier bildete das Fixieren von beweglichen oder unbeweglichen Objekten die Vorstufe zur optischen Wahrnehmung im Sinne des Erkennens und Verstehens.

Vom Hören zum Wortverständnis

Schon am Anfang seines Lebens lauscht das Baby den verschiedensten Geräuschen in seiner Umgebung. Es will ergründen, wo sie denn eigentlich herkommen. Welche Beziehung besteht zwischen dem Geräusch, dem Ton, dem Laut und der Sache oder Person, von der sie ausgehen? Um diese Frage sich selbst zu beantworten, muß das Baby genau die Richtung feststellen können, aus welcher der Laut kommt. Dazu muß es sein Köpfchen schnell genug drehen, um mit den Augen die Geräuschquelle ausfindig zu machen.

Am Anfang stehen Lauschen und Richtungshören

Es sind also die Augen, die diesen gehörsmäßigen Erkenntnisakt unterstützen: »Aha, das ist Mamas Stimme.« Oder: »Wenn ich Schrittgeräusche höre, wird gleich jemand bei mir erscheinen.«

Das alles geschieht noch ohne die Kenntnis von Worten. Aber noch ehe der Säugling das erste Lebensjahr vollendet, wird er zumindest eine Wortbedeutung erlernt haben. Er wird beispielsweise verstehen, daß mit dem Wort »Mama« eben nur seine eigene Mutter und niemand sonst gemeint ist. Voraussetzung ist die im Optischen vollzogene Unterscheidung zwischen der eigenen Mama und anderen Menschen, von der wir schon sprachen.

Erstes Erfassen von Wortbedeutungen

Mit dem ersten Wortsinn-Verständnis hat das Kind den wichtigsten Schritt in der Entwicklung seiner akustisch-theoretischen Intelligenz bereits vollzogen. Von da an geht es im allgemeinen stetig bergauf. Denn wenn ein Kind erst eine Wortbedeutung verstanden hat, wird es auch weitere Worte ihrem Sinngehalt nach verstehen lernen. Es treten später zum Beispiel Sprachbegriffe hinzu, mit deren Hilfe die Welt exakter eingeteilt und begriffen werden kann: der Raum beispielsweise in fern und nah, in hoch und tief, groß und klein; die Zeit in früh und spät, gestern und heute, Sommer und Winter. Und vieles andere mehr.

Raumbegriffe, Zeitbegriffe

**Hilfen durch
Mimik und Gesten**

Zu Anfang ist es gut, wenn der Erwachsene beim Sprechen seine Mimik und Gesten mit einsetzt. Man tut das ja meist automatisch, wenn man zum Beispiel mit den Worten »nein, nein« etwas verbietet oder wenn man bei der Aufforderung »komm' mal zu mir« die entsprechende Handbewegung macht.

Ab und zu kann man zur Probe absichtlich die unterstützende Mimik und die Gestik weglassen. Hat das Kind den Sinn des Gesagten dennoch verstanden, so spricht das für eine im Entwicklungsgitter unter der Spalte »Akustische Wahrnehmung« eingeordnete theoretische Intelligenz, für die eben der »stumme«, d. h. akustisch aufgenommene Sprachbesitz entscheidend ist.

3.10. Entwicklung der Sprache

Stimmgebrauch

Eine gewisse Muskelkraft ist zur Ausführung jeder Bewegung notwendig. Auch beim Sprechen kommt der ganze Mund in Bewegung. Dazu müssen die Muskeln der Lippen und Zunge betätigt werden. Grundlage jeder Sprache aber ist die Stimme. Wenn der stimmliche Ausatmungsstrom nicht kräftig genug fließt, kann sich kein Sprechen entwickeln.

**Weinen, Quietschen,
Kichern und Lachen**

Schon das Neugeborene zeigt durch sein Weinen an, daß es über genügend Kraft in der Stimme verfügt. Später kommen Quietschen, Lachen und Kichern hinzu, die dem Baby wieder neue Ausdrucksmöglichkeiten eröffnen. Dabei kann die Stimme höher und tiefer, lauter und leiser eingesetzt werden.

**Saugen, Schlucken,
Lecken und Kauen**

Die Mundmuskeln brauchen hier noch nicht in Aktion zu treten. Lippen, Zunge und Gaumensegel werden vorerst nur bei der Nahrungsaufnahme benötigt. Saugen, Schlucken, Lecken und Kauen sind großartige Vorübungen für das Sprechen.

**Essen als Mund-
geschicklichkeits-
training**

Allmählich gelingt es dem Säugling immer besser, auch mit fester Nahrung fertig zu werden. Indem er sein Essen kauend und zermahlend mit der Zunge im Munde hin- und herbefördert, übt er seine »Mundgeschicklichkeit« (vgl. Eßtherapie, S. 109).

**Lallen als wichtigste
Sprachvorübung**

Ein weiteres hervorragendes Übungsfeld der so überaus komplizierten Bewegungsvorgänge im Mundbereich steht dem Baby durch das Lallen zur Verfügung. Diese Zeit, in der es in seinem Bettchen vergnüglich vor sich hinbrabbelt, ist einer der wichtigsten vorsprachlichen Entwicklungsabschnitte. Es ist ein lustbetontes, vorläufig jedoch noch weitgehend unbewußtes Experimentieren mit den verschiedensten Lippen- und Zungenstellungen. Welche Faszination übt doch diese spielerische »Zungenakrobatik« auf das Kind selbst aus!

**Akustische
Rückmeldung**

Die eigenen Lautproduktionen werden vor allem deshalb als so besonders reizvoll erlebt, weil die Ohren das Gelallte akustisch verfolgen können. Die Experimentierbewegungen des Mundes werden also hörbar. Bei tauben Kindern ist das nicht der Fall. Sie geben ihre Lallversuche aufgrund der fehlenden akustischen Rückmeldungen nach einiger Zeit wieder auf.

Anfangs bleibt es praktisch dem Zufall überlassen, was bei den verschiedenen Zungen-, Lippen- und Gaumensegelstellungen an Lautketten und Lautkombinationen herauskommt. Gegen Ende des ersten Lebensjahres jedoch beginnt der Säugling Freude am Nachahmen zu entwickeln. So werden oft gehörte Laute so lange zu imitieren versucht, bis es endlich gelingt, sie genau zu reproduzieren (vgl. »Sprachpraktische Störungen« ab S. 107).

Freude am Nachahmen

Später werden Silben und wieder später Worte nachgeahmt. Wenn ein Kind Worte oder auch Sätze immer wiederholt, so wird das in der Fachsprache als Echolalie (Echosprache) bezeichnet. Dabei erscheint ihm das Wort aufgrund seiner Lautkombination akustisch eben so interessant, daß es den Drang zur Nachahmung verspürt, obwohl es den Sinn meist noch gar nicht begreift.

Echolalie

Bis zu diesem Entwicklungsabschnitt der Sprache geht es nur um Bewegungsübung im Mundbereich. Alles vollzieht sich noch weitgehend ohne Einsatz der akustischen Intelligenz. Der Säugling benützt seine Lautäußerungen meist zur Mitteilung von Gefühlen und Empfindungen oder zur Durchsetzung von Wünschen und Bedürfnissen.

Lautäußerung als Gefühlsausdruck

Akustisch-sprachliche Denkprozesse bahnen sich zu diesem Zeitpunkt erst langsam an. Mit Beginn des zweiten Lebensjahres etwa spricht das Kind das erste sinnbezogene Wort: meist »Mama«. Danach als zweites Wort meist »Auto« (Autos sind in der Regel heute eben interessanter als Papas!).

Sinnvoller Wortgebrauch

Von da an erweitert sich der aktiv gebrauchte Wortschatz ständig. Die sprachliche »Wortausgabe« erfolgt dabei naturgemäß immer einige Monate später als die akustische Wortaufnahme. Kindern zwischen zwei und drei Jahren macht es Freude, alle ihnen schon optisch bekannten Gegenstände nun auch beim Namen zu nennen. Und wenn sie es noch nicht wissen, dann fragen sie mit Ausdauer: »das?« »Und das?«

Benennen und Fragen

Wenn anfangs einzelne Worte den Sinn eines ganzen Satzes wiedergeben sollten, so verwendet das Kind nun schon Zwei- und Dreiwortsätze, um seine Wünsche oder Beobachtungen auszudrücken: »Teddy haben«, oder »Papa, komm Keller.« Dabei ist es ganz normal, wenn das Kleinkind anfangs noch Schwierigkeiten bei der Aussprache einiger Konsonanten (Mitlaute) hat. Manchmal verwendet es vorerst irgendwelche Ersatzlaute für die noch nicht beherrschten, wofür man den Ausdruck »Stammeln« verwendet (vgl. Seite 110).

Mehrwortsätze

Altersgemäßes Stammeln

**Babysprache und
Erwachsenen-
sprache**

Manche Eltern meinen ihr Kind schon sehr früh zum »richtigen
Sprechen« anhalten zu müssen. Sie befürchten, daß es die
falsche Aussprache oder die Bevorzugung der »Babysprache«
womöglich beibehalten könnte. Diese Sorge ist im allgemeinen
unnötig; denn es handelt sich hier um eine durchaus natürliche
und sinnvolle Übergangszeit.

Wenn das Kind vom »Wauwau« spricht, oder wenn es »ham
ham«, »pap pap«, »heia«, »teita« oder »ata« machen möchte, so
deshalb, weil diese Silben und Silbenverdoppelungen leichter
auszusprechen sind. Wörter wie »Hund«, »essen«, »schlafen«
oder »spazierengehen« enthalten Lautverbindungen, die das
jüngere Kind von seiner geringen Mundgeschicklichkeit her anfangs einfach noch nicht zu beherrschen vermag.

**Eltern sollen
normal sprechen**

Eltern brauchen deshalb nicht selbst in die Babysprache zu ver-
fallen. Denn das Kind soll ja hören, wie es richtig heißt. Und
irgendwann wird es sowohl vom Gehör als auch vom Sprech-
vermögen her fähig sein, sich der Erwachsenensprache zu bedienen. Sein inzwischen angewachsener Wortschatz und auch
der verbesserte Satzbau helfen dem Kleinkind, den sprachlichen
Kontakt zu seiner Umwelt zu intensivieren.

3.11. Soziale Entwicklung

**Gefühlskontakt
schafft Sprechlust**

Am Anfang jeder Entwicklung – und insbesondere der sprach-
lichen – steht der Gefühlskontakt. Über die zwischen Mutter und
Säugling bestehenden Gefühlsbande entsteht der für die Sprach-
entwicklung so wichtige Mitteilungsdrang. Er äußert sich zu-
nächst dadurch, daß das Baby lautmäßig antwortet (vgl. D. 6. im
Entwicklungsgitter). Später äußert es selbst Spontanlaute als
Ausdruck seiner Stimmungen (vgl. D. 10.) und nimmt auf diese
Weise aktiven Kontakt zu seiner Umwelt.

Dieses lautliche Mitteilungsbedürfnis bildet sich bei entsprechender liebevoller Zuwendung schon im Alter von 6 bis etwa
10 Monaten. Hier wird der Grundstock gelegt zum Sprachbedürfnis. Deshalb kommt dieser Zeit größte Bedeutung zu.
Wird sie nicht zur Kontaktpflege genutzt, so nimmt das Kind
Schaden sowohl in seiner sprachlichen als auch in seiner
sozialen Entwicklung (vgl. »Gestörte Sozialentwicklung« ab
Seite 111).

**Passiver und
aktiver Kontakt**

So ist die Sprachentwicklung eng mit der Entwicklung zwischen-
menschlicher Gefühlsbeziehungen gekoppelt. Der zunächst
passive Kontakt des Säuglings geht bald über in aktivere Formen des Sozialkontakts. Das beginnt schon, wenn die Mutter
angelächelt wird, und setzt sich fort über Betatschen, Streicheln,
Sichanschmiegen bis hin zur stimmlichen und sprachlichen Ver-
mittlung von Zärtlichkeiten.

Bei allem kommt es entscheidend darauf an, wie intensiv die
Mutter oder eine andere konstante Pflegeperson schon dem
Baby über Hautkontakt, Blick- und Stimmkontakt ein Gefühl der
Sicherheit und Geborgenheit vermitteln konnte. Auch das Gefühl
des eigenen Wertes hängt weitgehend von der Beständigkeit
mütterlicher Gefühlszuwendung ab. Innere Sicherheit und ein
auf diese Weise gut fundiertes Selbstwertgefühl sind Grund-
voraussetzungen für eine gesunde psychische und soziale Entwicklung.

*Sicherheit,
Geborgenheit*

Selbstwertgefühl

Das ältere Kind will der Mutter helfen. Es will sympathischen
Erwachsenen etwas schenken. Vor allem aber fühlt es sich zu
Kindern hingezogen. Es möchte an ihren Spielen teilnehmen.
Auf diese Weise übt schon das Kleinkind soziale Verhaltens-
weisen ein, die es später befähigen, ein frohes, kontaktfähiges
Mitglied der Kindergemeinschaft zu werden (vgl. »Das psycho-
soziale Entwicklungsgitter« auf Seite 64-65).

*Soziales Verhalten
braucht Übung*

4. Gestörte Entwicklung

4.1. Das rückständige Kind

Mit dem Entwicklungsgitter wird keine Normalentwicklung erfaßt, sondern die Minimalentwicklung als unterste Grenze der Norm. Darüber hinausgehende Rückstände haben eine Bedeutung. Sie sind Auswirkung einer oder mehrerer Ursachen.

Ursachen der Rückständigkeit

Hirnschädigung

In der Einzeldiagnostik kommt es zunächst darauf an, die verschiedenen Ursachenmöglichkeiten aufzuspüren. Im Hinblick auf einzuleitende Therapiemaßnahmen wird es außerdem notwendig sein, Hauptursachen von Nebenursachen zu unterscheiden. Es kann z. B. eine Hirnschädigung vorliegen. Sie ist möglicherweise der Hauptgrund für den Entwicklungsrückstand des betreffenden Kindes. Daneben mag als weitere Ursache eine Fehlerziehung in Form von Vernachlässigung oder Verwöhnung vorliegen, wodurch die hirnorganisch bedingte Entwicklungshemmung eine Verstärkung erfährt.

Die Hauptursache kann aber auch in einer schweren sozialen Behinderung liegen. Wie im Kapitel »Gestörte Sozialentwicklung« ab Seite 111 ausgeführt wird, kann es durch Fehlen früher mütterlicher Zuwendung zu einer derartigen Abkapselung und Teilnahmslosigkeit kommen, daß dadurch die gesamte kindliche Entwicklung blockiert wird.

Hospitalismus

Solche infolge frühen Heimaufenthalts sozial schwer geschädigten Kinder zeigen auch in anderen Funktionsbereichen Rückstände. So ist vor allem die Sprachentwicklung stark verzögert, ebenfalls die Bewegungsentwicklung. Die Kinder lernen verspätet sprechen und laufen und sind meist auch später immer noch ungeschickter im gesamten Bewegungsbereich als ihre Altersgenossen.

Retardierung oder Störung?

Bei allen diagnostisch-therapeutischen Überlegungen wird es gut sein zu fragen: Liegt in diesem bestimmten Fall bei dem Kind nur eine Verzögerung der Entwicklung vor oder außerdem eine Störung? Mit anderen Worten: Funktioniert das Kind lediglich auf einem altersmäßig zu niedrigen Entwicklungsstand? Erbringt der Vierjährige nur die Leistungen eines Dreijährigen? Oder sind die Funktionen außer der Rückständigkeit auch verändert? Verlaufen z. B. die Bewegungen des Kindes andersartig? Liegen also Störungen vor?

Störungen sind qualitative Veränderungen. Sie sind im allgemeinen Auswirkung einer Hirnschädigung. Denn wenn der »Computer Gehirn« defekt ist, müssen auch die auf dem Nervenwege empfangenen und ausgegebenen Impulse gestört sein.

Gestörte Wahrnehmung

Viele hirngeschädigte Kinder leiden unter Wahrnehmungsstörungen. Bei ihnen kommen die Sinnesmeldungen verändert an, weil sie nur bruchstückhaft wahrgenommen werden. Sie mögen zwar an sich normal sehen oder hören; ihre optische und akustische Unterscheidungs- und Merkfähigkeit kann dabei aber erheblich gestört sein.

Auch die Bewegungsfähigkeit hirngeschädigter Kinder ist zumeist in irgendeiner Weise beeinträchtigt. Bewegungsstörungen beschränken sich nicht nur auf die Körper- und Gliedermuskeln. Sie ergreifen in vielen Fällen die Mundmuskeln und die Augenmuskeln. Die Folge davon sind Sprachstörungen und Sehstörungen.

Gestörte Bewegung

Bewegungsstörungen treten darüber hinaus auch in den nicht direkt dem Willen unterworfenen Muskeln auf. So leiden manche hirngeschädigten Kinder unter Atemstörungen und Darmstörungen. Gerade die gestörte Darmfunktion ist ein Beispiel dafür, wieviel Leid die oft übersehene Bewegungsstörung des gesamten Verdauungstraktes für einzelne behinderte Kinder mit sich bringen kann. Die erschwerte und erlahmte Muskeltätigkeit des Darmes erklärt die oft hartnäckigen Stuhlverstopfungen (Obstipation), wobei durch zu lange beibehaltene Breinahrung zusätzliche Ballaststoffe fehlen. Hier ist ärztlicherseits unbedingt eine entsprechende Diät einzuleiten.

Atem- und Darmstörungen

Obstipation

Es mag daher einleuchten, daß hirngeschädigte Kinder auch unter einer verminderten Kontrolle ihrer Schließmuskeln leiden, die sowohl den After als auch die Blase betrifft. Kein Wunder also, daß Mütter behinderter Kleinkinder so große Mühe mit der Sauberkeitserziehung haben.

Erschwerte Sauberkeits-erziehung

4.2. Gestörte körpermotorische Entwicklung

Sich fortbewegen können bedeutet für das Kleinkind die Umwelt entdecken und erfahren (vgl. Kapitel »Entwicklung der Körperkontrolle« ab Seite 80). Gleichzeitig entdeckt und erfährt es aber auch sich selbst. Es gewinnt Vertrauen zu seinem Körper.

Ein Kleinkind lebt durch seinen Körper. Es ist ganz eins mit seinem Körper. All seine Gefühle, Freude und Schmerz drückt es »ganzkörperlich« aus. Deshalb bedeutet jedes körperliche Handikap, jede Beeinträchtigung seiner Körperbeweglichkeit, daß es in seinen gefühlsmäßigen Ausdrucksmöglichkeiten eingeschränkt ist.

Körperlicher Gefühlsausdruck

Beim spastisch gelähmten Kind können starke Gemütsbewegungen zu einer gesamtkörperlichen Verkrampfung führen. Statt seiner Freude durch Hüpfen und Springen Ausdruck zu verleihen, gerät es in eine spastische Bewegungsblockade, die es aktionsunfähig macht.

Spastische Verkrampfung

Leichtere Störungen fallen weniger auf

Derartige Erscheinungsbilder schwerer Bewegungsbehinderungen fallen jedermann sofort auf. Für das frühzeitige Erkennen beginnender, minimaler Normabweichungen ist der Blick des Laien jedoch nicht genug geschult. Solche leichteren Störungen des Bewegungsablaufs fallen auch zunächst kaum auf. Sie zeigen sich in der Regel nicht schon in den ersten Lebensmonaten, wie das bei schweren Bewegungsbeeinträchtigungen der Fall ist. Meist treten sie erst im Laufe des ersten Lebensjahres zutage. Ihre Feststellung ist Sache des Fachmannes. Dennoch können aufmerksame Eltern durch ihre Beobachtungen dem Arzt und der Krankengymnastin wertvolle Hinweise geben.

Kinderärztliche Beratung

Zunächst einmal müssen ja die Eltern zum Kinderarzt gehen. Und das tun sie im allgemeinen erst, nachdem ihnen irgend etwas an ihrem Kinde aufgefallen ist, das heißt, wenn sie Zweifel an seiner gesunden Entwicklung haben. Das Entwicklungsgitter kann hier den ersten wichtigen Anstoß zu einer fachärztlichen Untersuchung geben.

Eine Verzögerung und Verlangsamung der körpermotorischen Entwicklung ist immer ein ernst zu nehmendes Warnzeichen. Hinzu kommen in vielen Fällen hirnschadenbedingte Veränderungen in der Körperhaltung und in der gesamtkörperlichen Bewegungskontrolle.

Achten Sie deshalb auf folgende Auffälligkeiten der Haltungs- und Bewegungsentwicklung schon während der Säuglingszeit:

Das Baby ist steif

Durch übermäßige Muskelanspannung werden freie Bewegungen erschwert.

Überkreuzte Beine

Beispiel: Statt aktiv zu strampeln, liegt das steife Baby in verkrampfter Streckhaltung mit aneinandergepreßten oder überkreuzten Beinen in seinem Bettchen. Den Müttern fällt vor allem beim Wickeln auf, daß die Beinchen sich nur schwer abspreizen lassen.

Manchmal führt die extreme Körperüberstreckung zur Hohlkreuzhaltung, wobei der Kopf stark nach hinten in den Nacken genommen wird.

Der ältere entwicklungsgestörte Säugling hält, wenn er auf dem Bauch liegt, seine Arme überwiegend gebeugt.

Froschhaltung

Manche behinderte Babys liegen noch mit fünf oder sechs Monaten in Froschhaltung mit gespreizten Beinen und leicht angezogenen Knien auf dem Rücken. Eine solche Beugehaltung ist in diesem Alter nicht mehr normal.

Mit einem Dreivierteljahr bringt das bewegungsgestörte Baby die Füßchen immer noch nicht zum Mund.

Das Baby ist schlaff

Es bringt die Kraft zum Halten seines Köpfchens oder des Körpers beim Liegen, Sitzen und Stehen einfach nicht auf.

Beispiel: Infolge seiner Muskelschwäche kann es den Kopf in Bauchlage nicht anheben (vgl. Aufgabe C. 1. des Entwicklungs-gitters). Desgleichen später in Rückenlage (C. 6.).
Zieht man es mit einem halben Jahr aus dieser Lage an den Händen langsam zum Sitz empor, so läßt das muskelschwache Baby das Köpfchen schlaff nach hinten hängen.
Im Sitz sinkt es in sich zusammen. Der Rücken kann nicht ge-radegehalten werden (vgl. C. 4.), der Kopf ist wackelig (C. 2.).
Halten Sie den etwa halbjährigen bis einjährigen Säugling in Bauchlage frei in der Luft, so läßt er, statt Rumpf und Beine auszustrecken und den Kopf anzuheben, Kopf und Glieder kraftlos nach unten hängen.
Versucht ein solches schlaffes Baby wirklich einmal, seine schwachen Muskeln anzuspannen, so führt dies meist zu einer spastischen Verkrampfung der gesamten Körpermuskulatur.

Das Baby bewegt eine Körperseite schwächer

In manchen Fällen macht sich die Steifheit oder Schwäche nur auf einer Körperseite – je nachdem rechts oder links – bemerk-bar. Auch das ist ein wichtiger Hinweis auf eine Bewegungs-störung.

Beispiel: Das Baby strampelt mit einem Bein aktiv und kräftig, während das andere kaum oder gar nicht bewegt wird (vgl. C. 2.).
Das gilt auch für seitenunterschiedliche Armaktivität.
Es kann auch sein, daß ein Arm oder ein Bein konstant gebeugt gehalten wird.
In Bauchlage hebt es sich möglicherweise immer nach rechts bzw. nach links gedreht von der Unterlage ab.
Auch in der Rückenlage kann man beobachten, daß das Köpf-chen immer zur gleichen Seite gelegt wird.

Das ältere Kind

Achten Sie auch noch beim Kleinkind, wenn es allein zu stehen und gehen beginnt, auf Seitenunterschiede im Gebrauch der Beine. Ist ein Bein deutlich schwächer oder steifer, so machen Sie den Kinderarzt darauf aufmerksam.

Ein weiteres wichtiges Warnzeichen, auf das Eltern achten soll-ten, ist die verlangsamte Bewegung. Man merkt das daran, daß das ältere Kind langsamer reagiert und sich umständlich, plump und schwerfällig bewegt. Es wird mit den täglichen Handhabun-gen nie fertig und ist unter Gleichaltrigen immer der letzte.

Sehr deutlich zeigt sich die motorische Störung auch durch Gleichgewichtsunsicherheit, z. B. beim Krabbeln auf allen vieren und beim aufrechten Gehen. Oft ist gleichzeitig die Kopfkontrolle schlecht. Diese Kinder können ihren Körper schlecht aus-balancieren. Das zeigt sich deutlich beim schnellen Laufen.

Marginalien:
Kopfhalteschwäche

Seitenunterschiede

Langsamkeit

Balancestörungen

4.3. Gestörte handmotorische Entwicklung

Schon im ersten Lebensjahr setzt das altersgemäß ent-
wickelte Kind seine Hände und Finger zunehmend zur Erfor-
schung der Umwelt ein (vgl. Kapitel »Entwicklung des Handgeschicks« ab Seite 82). Es braucht dazu ein gewisses Maß an
Kraft und Beweglichkeit. Schwäche und Steifheit bzw. Ver-
spannung führen – genau wie bei der körperlichen Entwicklung –
zu Verzögerungen und Störungen der Hand- und Fingermotorik.
Verzögerungen lassen sich relativ leicht im Entwicklungsgitter
ablesen. Liegen aber gleichzeitig Störungen vor, so bedeutet
dies, daß die Handbewegungen andersartig verlaufen, daß sie
fehlerhaft funktionieren.
Im folgenden finden Sie einige Hinweise auf krankhafte Störungen, wie sie jede Mutter und jeder Vater selbst beim Baby
beobachten kann.

Steife Handbewegungen

Faustschluß

Wenn ein halbjähriges Kind immer noch ein oder beide Händchen zur Faust geschlossen hält, so ist dies ein Warnzeichen.
Die Beugespannung der Hände und Finger kann so stark sein,
daß es einem Erwachsenen kaum möglich ist, einen Rasselstiel
in das fest geschlossene Händchen zu stecken.

**Ungenügende
Fingerbewegungen**

Zwischen einem halben und einem Jahr sollten Säuglinge an-
fangen, mit ihren Fingern zu spielen, und zwar so, daß die einzelnen Finger nicht nur passiv, sondern auch aktiv bewegt
werden. Behinderten Kindern fällt dieses Einzelbewegen der
Finger schwer.

Schlaffe Handbewegungen

**Mangelnde
Handhaltekraft**

Hier fällt es dem Säugling schwer, etwas in der Hand zu halten.
Er langt wohl nach einem Gegenstand, kann ihn aber nur mit
Mühe greifen und festhalten. Gibt man ihm etwas in sein Händ-
chen, so läßt er es meist nach kurzer Zeit wieder fallen.
Dem älteren Kind fällt es häufig schwer, etwas zusammenzu-
drücken. Man merkt das, wenn man ihnen ein Quietschtier, einen
Hupenball oder etwas Ähnliches zum Spielen gibt.

Einseitig gestörte Handbewegung

Eine große Bedeutung kommt im Hinblick auf die Früherkennung
der Beobachtung einseitiger Schwächen oder Versteifungen der
Hände und Finger zu. Wenn der ältere Säugling im Zuge seiner
Entwicklung zum Rechts- oder Linkshänder eben diese eine
Hand bevorzugt, so ist dies ganz in Ordnung. Wenn aber beim
Hantieren von Gegenständen das andere Händchen nie zur
Hilfe genommen wird, so besteht hier der dringende Verdacht
auf eine einseitige Bewegungsstörung.

Zucken und Zittern

**Ruckartige
Muskelimpulse**

Wenn Sie in der Hand des Kindes ruckartige einschießende
Muskelimpulse bemerken, so teilen Sie Ihre Beobachtung dem

Arzt mit. Solche unabsichtlichen Zuckungen können auch im Schulter-Arm-Bereich, in der Nackenmuskulatur (Kopfzucken) oder im Gesicht (mimische Zuckungen) auftreten.

Ganzkörperlich auftretende Zuckungen werden oft für ein schreckhaftes Zusammenfahren gehalten, können aber ihre Ursache in einer Störung des Zentralnervensystems haben.

Manchmal kann man statt des Zuckens langsam und zähflüssig ablaufende Hand- und Fingerbewegungen beobachten. Sie sind ebenfalls nicht dem Willen unterworfen. Die Finger zeigen dabei zum Teil wurmartig gewundene Bewegungsabläufe. Solche langsamen und spannungsreichen Drehbewegungen können auch im Gesicht auftreten.

Gewundene Drehbewegungen bei Athetose

Die geschilderten Extrabewegungen kommen eher beim älteren als beim jüngeren Kind vor. Dazu gehören auch das Hand- und Fingerzittern bei passiven, vor allem aber bei aktiven Bewegungen. Als Folge sehen wir fast immer eine Zielunsicherheit beim Greifen. Beim Kleinkind, das zu malen beginnt, ist die Strichführung verzittert.

Zitterige Bewegungen

Feinere oder gröbere Zitterbewegungen können auch an Kopf und Körper beobachtet werden. Hier ist in jedem Fall auch immer der Arzt zu verständigen.

Die Entwicklung des Hand- und Fingergeschicks hat, wie neuere sowjetrussische Untersuchungen zeigen, eine bisher in diesem Maße nicht für möglich gehaltene Bedeutung für die Entwicklung der Sprache. Deshalb sind Hand- und Fingerübungen gerade für sprachgestörte Kinder so überaus wichtig (vgl. »Gestörte Sprachentwicklung« ab Seite 104).

4.4. Gestörte optische Entwicklung

Unter optischer Wahrnehmung verstehen wir die Nutzung und geistige Verarbeitung der während des Sehens aufgenommenen Informationen (vgl. Kapitel »Entwicklung der optischen Wahrnehmung« ab Seite 83). Nur wenn die Augen ungestört funktionieren, kann das Kind das Gesehene auch ungestört wahrnehmen. Alles, was über die Sehnerven dem »Computer Gehirn« angeboten wird, muß qualitativ gut sein (vgl. »Das Gehirn als Computer« ab Seite 78). Ist die optische Aufnahmequalität minderwertig und unvollkommen, wie das bei sehgestörten Kindern der Fall ist, so kann auch ein gesundes Gehirn wenig daraus machen.

Wahrnehmung setzt Sehen voraus

Das Baby ist augenmuskelschwach

Bewegungsbehinderte Kinder zeigen fast immer mehr oder weniger ausgeprägte Augenmuskelschwächen. Wir finden im Optischen die gleiche Unbeweglichkeit, Steifheit und Schwerfälligkeit wie in der Handmotorik oder Körpermotorik. Die Augenmuskeln, welche die Augäpfel bewegen sollen, sind geschwächt oder verkrampft. Dadurch fällt es dem Baby so schwer, den Blick auf die Gegenstände seiner Umwelt zu richten. Die

Schlechtes Fixieren

Folge ist der leere, stumpfsinnig wirkende Blick, den der Laie oft fälschlicherweise als Zeichen einer geistigen Schwäche wertet. Glücklicherweise sind Augenmuskelschwächen nur selten so ausgeprägt vorhanden, wie sie hier geschildert wurden. Aber Eltern sollten schon auf geringe Normabweichungen achten. Ist ihr Baby in den ersten Lebensmonaten nicht in der Lage, bewegte Ziele mit seinen Augen zu verfolgen (vgl. Aufgaben A. 1. und A. 3.), so ist dies ein wichtiger Hinweis auf eine Sehschwäche.

Sehbehinderte Kinder sind auch lernbehindert

Denken Sie daran, daß ein sehbehindertes Kind immer auch lernbehindert ist und seine Intelligenz nicht genügend entfalten kann. Jeder Tag, den Sie vom Entdecken entsprechender Auffälligkeiten bis zum Aufsuchen eines Kinderarztes oder Augenarztes verstreichen lassen, mindert die Möglichkeiten zur geistigen Entfaltung bei Ihrem Baby.
Die Chancen für eine erfolgreiche Behandlung von Sehfehlern und -störungen sind in den ersten Lebensjahren bedeutend größer als zu einem späteren Zeitpunkt.

Das Baby schielt

Schielen wird von manchen Eltern als ein rein kosmetisches Übel angesehen, das sich irgendwann auswächst. Das ist ein für das Kind oft verhängnisvoller Irrtum. Denn jedes Schielen stört naturgemäß die Zusammenarbeit beider Augen beim Sehen. Da die Blickrichtung nicht parallel ist (vgl. Aufgabe A. 6.), können die Augen nicht als »Entfernungsmesser« funktionieren. Dadurch kann sich das räumliche oder plastische Sehen vermindert entwickeln.

Einseitige Erblindung durch Schielen

Frühe Schielbehandlung

Weit schlimmer ist jedoch, daß das schielende Auge vielfach gar nicht mehr am Sehen teilnimmt. Dadurch verliert es mit der Zeit an Sehkraft. In der Hälfte der Fälle führt das praktisch zur einseitigen Erblindung. Deshalb müssen Eltern so früh wie möglich ärztlichen Rat einholen mit dem Ziel einer baldmöglichen Schielbehandlung. Sie wird am besten in Spezialabteilungen von Augenkliniken durchgeführt, die über eine »Sehschule« verfügen. Auskunft erteilt der »Bund zur Förderung sehbehinderter Kinder e. V.«, 41 Duisburg-Wanheimerort, Am Bahndamm 16.
Achten Sie schon in den ersten Lebensmonaten darauf, ob Ihr Baby eine deutliche Schielstellung zeigt. Am häufigsten kommt das Innenschielen vor. Das Abweichen eines Auges nach außen tritt auch in Verbindung mit Kurzsichtigkeit auf.
Schielen kann ohne eine organische Ursache auftreten. Es ist aber bekannt, daß über die Hälfte der Spastiker schielt, so daß hier die Hirnschädigung ursächlich eine Rolle spielt.

Das Baby ist sehschwach

Sehschwäche

In einzelnen Fällen können beide Augen zu schwach sein, um Gegenstände und Personen der näheren oder weiteren Umwelt richtig erkennen zu können. Hierbei sind Abstufungen möglich, die von nur undeutlichem Sehen über verschwommenes und schemenhaftes Sehen bis zur Fast-Blindheit mit verbliebener Hell-Dunkel-Unterscheidung reichen können.

Manchmal besteht dabei ein dauerndes Augenzittern, sichtbar an hin und her pendelnden Pupillenbewegungen, die ein zentriertes, genau fixierendes Sehen weitgehend unmöglich machen.

Augenzittern

Folgende Auffälligkeiten deuten auf eine Schwäche oder Störung der Sehfähigkeit hin:
- wenn sich das Baby mit Fäusten oder Fingern in den Augen bohrt,
- wenn es abwechselnd in Licht und Schatten blinzelt,
- wenn seine Augäpfel ruhelos hin- und herpendeln,
- wenn es mit dem Kopf immer wieder hin- und herwackelt,
- wenn es seine gespreizten Finger vor den Augen hin- und herführt,
- wenn es ständig etwas vor seinen Augen schüttelt oder dreht,
- wenn es Ihnen nicht ins Gesicht blickt (vgl. Aufg. A. 2.),
- wenn es Sie beim Eintreten ins Zimmer nicht sieht (A. 7.),
- wenn es die Flasche nur erkennt, nachdem sie bewegt wird (A. 11.),
- wenn es einen Krümel auf weißer Decke nicht sieht (A. 5.),
- wenn es Gegenstände zum Betrachten nahe an die Augen hält,
- wenn es mit den Händen unsicher ist und oft danebengreift (B. 7.).

Frühe Warnzeichen für mangelnde Sehfähigkeit

Die aufgeführten Warnzeichen einer Sehstörung, zu denen selbstverständlich auch das schon besprochene Schielen gehört, mögen noch einmal verdeutlichen, daß ein sehbehindertes Kind beim geistigen Verarbeitungsprozeß der optischen Wahrnehmung Schwierigkeiten haben muß. Alles optische Erkennen und Unterscheiden, wie es im Entwicklungsgitter ab A. 11. aufwärts dargestellt ist, vollzieht sich auf der Grundlage einer altersgemäßen Augenbeweglichkeit und Sehfähigkeit.

Das zentral sehgestörte Kind

Nun gibt es leider auch Kinder, deren optische Wahrnehmungsfähigkeit trotz an sich intaktem Sehen gestört ist. Nicht der optische Apparat des Auges ist hier defekt; der Sitz der Störung ist die »Zentrale« des Gehirns selber.

Zentrale Sehstörungen fallen im allgemeinen erst bei älteren Kindern auf. Sie erfassen den Sinngehalt der optischen Erscheinungen ihrer Umwelt nur unvollkommen. Sie achten auf Nebensächlichkeiten und sehen den Zusammenhang zum Ganzen nicht. Ein solches Kind mag von einem Rad so fasziniert sein, daß es dabei das Auto, zu dem das Rad gehört, völlig übersieht.

Schwächen im Erkennen von Zusammenhängen

Das Bewußtsein optisch wahrnehmungsgestörter Kinder ist eingeengt und registriert nur irgendeine unwesentliche Kleinigkeit, während ihm Wesentliches oft entgeht. Es fehlt an optischem Überblick. Dem Kind fällt es schwer, mehrerlei Dingen gleichzeitig optisch Beachtung zu schenken. So lernt es z. B. nur sehr lang-

Körperschemaschwächen

sam, aus welchen Einzelteilen der menschliche Körper besteht und welche Form er als Ganzes hat (vgl. Aufg. A. 23.).

**Soziale Wahr-
nehmungs-
schwächen**

Optische Wahrnehmungsschwächen können sich auch darin zeigen, daß die Bedeutung menschlicher Mimik und Gestik nicht recht erfaßt wird. Solchen Kindern mangelt es immer auch an sozialem Verständnis. Bei autistischen Kindern ist diese Störung sehr ausgeprägt (vgl. »Gestörte Sozialentwicklung« ab Seite 111).

**Bilderkennungs-
störungen**

Noch größer sind die Wahrnehmungsschwierigkeiten zentral sehgestörter Kinder, wenn es sich nicht um reale Dinge, Menschen oder Tiere handelt, sondern um Abbildungen (vgl. A. 30., A. 39.). So fällt es ihnen beispielsweise schwer, abgebildete Tätigkeiten zu erkennen (A. 35.) oder Einzelheiten einer Ganzheit zuzuordnen wie Apfel zum Apfelbaum (A. 47.).
Die durch derartige optische Lernstörungen entstehenden Entwicklungsrückstände zeichnen sich deutlich durch einen verminderten Leistungsstand in der Gitterspalte A. (Optische Wahrnehmung) ab. Hier sind heilpädagogische Fördermaßnahmen zum Ausgleich der Hirnfunktionsstörungen unbedingt geboten.

4.5. Gestörte akustische Entwicklung

Gegen Ende des ersten und im Verlauf des zweiten Lebensjahres lernt das Kind allmählich die Wortbezeichnungen für alle ihm schon vom Optischen her und aus der Tasterfahrung bekannten Dinge und Erscheinungen (vgl. Kapitel »Entwicklung der akustischen Wahrnehmung« ab Seite 85). Dieses als »stummer Sprachbesitz« bezeichnete Wortverständnis bildet die Voraussetzung für die gesprochene Sprache.

**Versäumtes
Sprechenlernen
ist später nie
ganz auszugleichen**

Die Aufnahmefähigkeit des kindlichen Gehirns für sprachliche Inhalte ist zeitlich begrenzt. Genauer gesagt: Der »Computer Hirn« ist nur während der ersten beiden Lebensjahre für die grundlegenden akustischen und sprachlichen Lernvorgänge programmiert. Was in diesem Zeitraum an Grundlagen noch nicht erlernt worden ist, kann später selbst unter großem zeitlichem Aufwand nur höchst unvollkommen nachgeholt werden.

**Soziale
Benachteiligung**

Sozial benachteiligte Kinder bleiben deshalb häufig in der Entwicklung des akustischen Spracherwerbs zurück (vgl. Kapitel »Gestörte Sozialentwicklung« ab Seite 111).
Kinder mit herabgesetztem oder gestörtem Hörvermögen sind von vornherein beim aktiven Spracherwerb benachteiligt. Ihre Aussprache ist oft fehlerhaft; sie stammeln. Die gesamte Sprachentwicklung verläuft langsamer (vgl. Kapitel »Gestörte Sprachentwicklung« ab Seite 104).

**Hörstörungen und
Legasthenie**

Hörstörungen können auch bei der Entstehung einer Lese-Rechtschreibschwäche eine ursächliche Rolle spielen.
Bei hirngeschädigten Kindern können die Auswirkungen einer

Schwerhörigkeit noch durch Störungen der Konzentration und des Durchhaltevermögens verstärkt werden. Auch die mangelnde Kopfkontrolle bewegungsbehinderter Kinder (vgl. Kapitel »Gestörte körpermotorische Entwicklung« ab Seite 93) kann ein gezieltes Hören erheblich stören.

Es kommt leider immer wieder vor, daß schwerhörige Spastiker für geistig behindert gehalten werden. Um so notwendiger ist die genaue und möglichst frühzeitige Abklärung jedes Verdachts auf eine Hörstörung.

Ein Kind kann taub oder hochgradig schwerhörig sein.
Es kann nur mittel- bis leichtgradig hörgestört sein.
Es kann in einem Tonbereich schwerhörig, im anderen normalhörig sein.
Und es kann bei normalem Hörvermögen in seinem Wortsinnverständnis gestört sein, weil eine »zentrale Hörstörung« vorliegt.

Gradabstufungen der Schwerhörigkeit

Das taube oder schwerhörige Baby

Hochgradige Hörbeeinträchtigungen können heute durch Groböberprüfung des akustischen Reflexverhaltens schon beim Neugeborenen herausgefunden werden. Ist auch nur ein geringer Hörrest vorhanden, so sollen nach amerikanischen Erfahrungen schon in den ersten Lebensmonaten Hörgeräte gegeben werden.

Leider zeigt sich, daß unbehandelte hochgradig schwerhörige Kinder stumm bleiben. Da sie keine Laute hören können, entwickeln sie auch kein Bedürfnis zu lauschen. Viele Kinder brauchten nicht taubstumm zu sein, wenn ihre Hörstörung früh genug erkannt worden und ihr Hörrest rechtzeitig elektroakustisch verstärkt und systematisch trainiert worden wäre.
Die Beurteilung einer Taubheit ist für Eltern erfahrungsgemäß schwierig. Sie lassen sich leicht täuschen, da taube Kinder stark auf Vibrationen reagieren. Dadurch können sie oftmals tieffliegende Düsenflugzeuge, über die Straße donnernde Lastwagen, unter Umständen aber auch stampfende Schritte oder Türknallen bemerken.

Taubstummheit ist vermeidbar

Lassen Sie sich nicht verleiten anzunehmen, Ihr Kind sei nicht schwerhörig oder taub, weil es altersgemäß zu babbeln und zu lallen beginnt. Auch völlig taube Babys produzieren Lall-Laute in dem gleichen Umfang wie normal hörende Babys. Sie lassen aber im zweiten Lebensjahr immer mehr nach und hören gewöhnlich mit eineinhalb Jahren ganz zu lallen auf.
Das im Alter von einem Jahr mitunter von tauben Kindern gesprochene Wort »Mama« oder »Ama« ist nichts anderes als das häufige Produzieren des Urlautes »a«, verbunden mit dem oft rein zufälligen Schließen der Lippen. Meist hört es damit bald wieder auf; übrig bleibt das immer greller und schriller hervorgestoßene »a«.

Auch schwerhörige Babys lallen

Ablesen von
den Lippen

Intelligente schwerhörige Kinder mit einem Resthörvermögen lernen auch bis zu einem gewissen Grad, dem Sprechenden auf die Lippen zu schauen. Das kann sogar ein Sprachverständnis vortäuschen.

Am Ende dieses Kapitels soll eine Zusammenstellung der wichtigsten Warnzeichen die Eltern in die Lage versetzen, das akustische Verhalten ihrer Babys gezielt zu beobachten. Das gilt insbesondere natürlich für Eltern sogenannter Risikokinder.

Das leichter hörbehinderte Kind

Ein nur leicht herabgesetztes Hörvermögen fällt der Umgebung noch weniger auf. Das ist vor allem der Fall, wenn die akustischen Bedingungen gut sind, d. h., wenn die Mutter laut genug spricht und nahe genug an das Kind herangeht.

Leichte Hörschäden
werden übersehen

Nach schwedischen Erfahrungen werden leichtere Hörstörungen von den Eltern zu etwa zwei Dritteln nicht erkannt. Man schiebt das schlechte Hören auf Überanstrengung, Müdigkeit und Konzentrationsschwäche. Manche Kinder mit leichtem und sogar mittelgradigem Hörverlust fallen schließlich erst in der Schule auf.

Hochtonverlust
als Teilhörstörung

Es gibt eine besondere Gruppe von Kindern, die in den niedrigen Frequenzbereichen unserer Sprache gut zu hören vermögen. Sie haben keine Schwierigkeiten beim Hören von Vokalen (Selbstlauten wie a, e, i, o, u). Das gleiche gilt auch für die meisten Konsonanten (Mitlaute wie b, p, m, n, l usw.). Sie leiden aber an einem Hochtonverlust, so daß sie die hochfrequenten Zischlaute f, s, ß, sch, z (vgl. Aufg. D. 36.) nicht mitbekommen. Unter ihnen befinden sich relativ viele Athetotiker[1].

Die Tragik dieser meist älteren, teilhörgestörten Kinder ist, daß man sie fast immer für normal hält. Denn sie hören ja; aber sie hören eben unvollkommen. Die Worte kommen durch das Fehlen der Zischlaute nur bruchstückhaft an. So helfen sich intelligente Kinder etwas weiter, indem sie – so gut es geht – die fehlenden Laute von den Lippen des Sprechenden abzulesen versuchen. Dennoch sind sie in ihrem sprachlichen Lernen empfindlich behindert.

Das zentral hörgestörte Kind

Sprachverständnis-
schwierigkeiten

Zentral hörgestörte Kinder können zwar hören, aber nicht zuhören! Selbst bei absolut einwandfreiem Hörvermögen in allen Tonhöhen kann die »Zentrale«, also das Gehirn, das Gehörte nur ungenügend verstehen. Bei diesen Kindern liegt demnach eine akustische Wahrnehmungsschwäche vor, die ihre Ursache in einer Funktionsstörung des Gehirns hat. Das fällt dadurch auf, daß sie Verständnisschwierigkeiten bei sprachlichen Anweisungen haben (vgl. ab E. 15. aufwärts).

Solche Störungen der akustischen Verarbeitung fallen frühestens

---

[1] Athetose ist eine Bewegungsstörung mit wurmartig gewundenen Drehbewegungen der Hände, Finger und des Gesichts (vgl. »Gestörte handmotorische Entwicklung« unter Zucken und Zittern, Seite 96-97).

zu Beginn des zweiten Lebensjahres auf. Es ist dies die Zeit, in der das Kind gewöhnlicherweise die Sprachbedeutung zu verstehen beginnt. In den meisten Fällen bleiben zentrale Hörstörungen jedoch viel länger verborgen.

Ihre Erkennung ist in der Tat selbst für Fachleute schwierig. Im allgemeinen zweifelt man eher am Hörvermögen dieser Kinder als an ihrem Sprachverständnis. Selbstverständlich ist ihnen mit der Verordnung von Hörgeräten nicht gedient.

Diagnostische Schwierigkeiten

In manchen Fällen erbringt der Vergleich zweier intelligenzmessender Verfahren, nämlich eines sprachfreien mit einem der üblichen Intelligenztests, recht gute diagnostische Aufschlüsse. Dabei kann sich zeigen, daß die geistigen Leistungen des zentral hörgestörten Kindes in einem Test, der auf sprachgebundene Aufgaben verzichtet, wesentlich höher sind.
Im Entwicklungsgitter kommen diese Kinder in der Spalte E. (Akustische Wahrnehmung) meist nur mit großer Mühe über den Leistungsstand von Eineinhalbjährigen oder Zweijährigen hinaus.

Sprachfreier Test bringt Klärung

Je nach Schwere der Hirnfunktionsstörung vermögen sie sich wohl einzelne Gegenstandsbezeichnungen zu merken und können sie auch in der Regel richtig anwenden. Sie haben aber zumeist große Schwierigkeiten beim Erfassen und Behalten von Tätigkeitswörtern, Eigenschaftswörtern und Ortsangaben (vgl. E. 34., E. 46.). Das gleiche gilt für Farb- und Mengenbezeichnungen sowie für andere höhere Sprachbegriffe (E. 39., E. 44.). Aufgrund ihrer Gedächtnis- und Wortfindungsstörungen bleiben sie auch in ihrem sprachlichen Ausdrucksvermögen zurück (vgl. »Gestörte Sprachentwicklung« ab Seite 104), obwohl sie manchmal ganze Sätze, ohne sie zu verstehen, nachsprechen können.

Leichtere Sprachverständnisstörungen

Schwere Störungen des Sprachverständnisses finden sich bei autistischen Kindern (vgl. »Gestörte Sozialentwicklung« ab Seite 111). Wenn man sie etwas fragt, so antworten sie oft, indem sie die Frage wiederholen, weil sie ihren Sinn nicht verstehen. Zentral hörgestörte Kinder sind nicht einfach geistig Behinderten gleichzusetzen. In ihrem optischen Wahrnehmungsvermögen zeigen sie oft eine gute Intelligenz. Dennoch sind sie im akustischen Erkenntnisbereich lernbehindert. Hier ist eine bereits im frühen Kleinkindalter beginnende heilpädagogische Förderung dringend anzuraten.

Schwere Störungen bei Autisten

Früherkennung von Hörbehinderungen

Eltern können und sollen keine Diagnose stellen. Aber sie müssen fähig sein, das akustische Verhalten schon beim Säugling aufmerksam zu registrieren, um Störungen auszuschließen. Denn mit dem Gehör des Kindes steht und fällt – wie wir das zu zeigen versuchten – die Entwicklung seiner »akustischen Intelligenz« (vgl. »Entwicklung der akustischen Wahrnehmung« ab Seite 85).

Warnzeichen für
eine Hörstörung

Wenn folgende Warnzeichen nach mehrmaliger Überprüfung erkennbar sind, so besteht der Verdacht auf eine Hörstörung, möglicherweise aber auch auf eine geistige Behinderung des Kindes.

Als dringendes Alarmzeichen gilt,

– wenn das in einem weitgehend geräuschabgeschirmten Raum schlafende Neugeborene binnen 3 Sekunden nicht auf hohe Pfeiftöne reagiert (normalerweise müßte es sich zumindest unruhig hin und her bewegen, den Körper schreckhaft strecken bzw. wenigstens die Beine steif machen oder mit den Augenlidern zucken.

– wenn das wache halbjährige Baby nicht auf Rasseln, nahes Papierknistern, Sprechen oder Zischen reagiert, wobei es normalerweise einen Moment in seinem Tun innehält, den Atem kurzzeitig anhält, die Pupillen weitet und suchend den Kopf bewegt,

– wenn das dreivierteljährige Baby nicht auf Anrufen reagiert, wobei der Sprechende unsichtbar bleiben muß,

– wenn das Einjährige nicht gespannt dem Ticken einer ans Ohr gehaltenen Uhr lauscht,

– wenn das Eineinhalbjährige immer noch keine Ansätze zum Sprechen zeigt,

– wenn es die im Gitter angegebenen Funktionen der Spalte E. nicht rechtzeitig entwickelt,

– wenn es sich immer wieder mit den Fäusten oder offenen Händen gegen seine Ohren schlägt,

– wenn es anscheinend grundlos mit schriller Stimme schreit und quietscht,

– wenn es gern laute Geräusche produziert,

– wenn es Sie oft verständnislos und abwesend anblickt, sobald Sie etwas sagen,

– wenn es einfache Aufträge nur dann ausführt, wenn Sie hinweisende Gesten machen.

Hörberatung
und -behandlung

Lassen Sie sich niemals auf später vertrösten, wenn Ihnen Warnzeichen aufgefallen sind. Hörstörungen wachsen sich nicht aus. Suchen Sie bei jedem Verdacht sofort eine Hörberatungsstelle oder ein klinisches Hörzentrum auf. Drängen Sie, wenn irgend möglich, auf eine stationäre Aufnahme in der Hör- und Sprachabteilung einer Hals-Nasen-Ohren-Klinik zusammen mit Ihrem Kind. Hier sind die besten Möglichkeiten für eine exakte Hörüberprüfung gegeben. Leider verfügen wir in der BRD nur über wenige solcher Spezialeinrichtungen.

Adressen erhalten Sie über den »Deutschen Schwerhörigenbund e. V.«, 85 Nürnberg, Uttenreuther Straße 24, oder über die »Gemeinschaft der Eltern und Freunde schwerhöriger Kinder e. V.«, 2 Hamburg 67, Volksdorfer Damm 36.

4.6. Gestörte Sprachentwicklung

Die gesprochene Sprache ist das wichtigste zwischenmenschliche Verständigungsmittel. Sie kommt durch komplizierteste

Mundbewegungen zustande, setzt aber immer Verstand voraus. Ein Kind, das sich der Sprache bedienen möchte, muß zunächst einmal wissen, was es sagen will. Ehe es etwas ausspricht, muß es denken (vgl. »Entwicklung der Sprache« ab Seite 88).

Sprechen und Denken beeinflussen sich gegenseitig. Der Mensch denkt ja in Worten und Sätzen. Nur Taubstumme machen da eine Ausnahme; sie denken in den Gesten und Zeichen ihrer Taubstummensprache. Ein Kind, das seine Gefühle, Wünsche und Gedanken sprachlich ausdrückt, schult damit seine Intelligenz.

Sprechen schult Intelligenz

Im Verlaufe des zweiten Lebensjahres, wenn das Kind über einen genügend großen »stummen« Wortschatz verfügt (vgl. »Entwicklung der akustischen Wahrnehmung« ab Seite 85), beginnt es meist auch aktiv zu sprechen. Voraussetzung dafür sind einmal das kindliche Sprech- und Mitteilungsbedürfnis und zum zweiten der Nachahmungstrieb.
Nicht alle Kinder lernen zur gleichen Zeit sprechen. Nirgends gibt es solch große individuelle Unterschiede von Kind zu Kind wie gerade in der Sprachentwicklung. Vereinfacht kann man sagen, daß Kinder, die früher laufen als sprechen, mit dem Sprechenlernen so lange warten, bis das Laufen sicher beherrscht wird. Umgekehrt entwickeln andere Kinder erst eine gewisse Sprechfertigkeit, ehe sie zu laufen beginnen.

Mitteilungsbedürfnis und Nachahmungstrieb

Die Erscheinungsbilder kindlicher Sprachstörungen und ihrer Ursachen sind für den Laien verwirrend vielfältig. Die gleiche Störung kann verschiedene Ursachen haben. Das Stammeln beispielsweise, bei dem Sprachlaute weggelassen oder durch andere ersetzt werden, kann dadurch entstehen, daß ein Kind einzelne schwierige Laute noch nicht zu bilden vermag. Stammeln kann aber auch durch eine Schwerhörigkeit verursacht werden, indem das Kind bestimmte Laute nicht hören und infolgedessen auch nicht aussprechen kann (vgl. »Gestörte akustische Entwicklung« ab Seite 100).

Wie kommt es zu Sprachstörungen?

Eine sinnvolle und erfolgversprechende Therapie wird immer die Ursache einer Störung berücksichtigen müssen. Bei den Störungen der menschlichen Sprache müssen drei Hauptursachenmöglichkeiten bedacht werden. Das sind Hör- und Verständnisstörungen bei der akustischen Sprachwahrnehmung, Denkstörungen bei der Sprachplanung und Sprachformulierung und Bewegungsstörungen beim Sprechen selbst. Das erste ist im Grunde gar keine Sprachstörung, sondern eine akustische Störung. Im zweiten Fall ist der geistige Prozeß der Sprachbildung betroffen. Hier haben wir es also mit einer echten Sprachstörung zu tun, während im dritten Fall eine Sprechstörung, also eine Bewegungsstörung, vorliegt.
Im Einzelfall können eine oder mehrere dieser Störungsarten ursächlich eine Rolle spielen. Am leichtesten und frühesten

Hauptursachen: Hörstörungen, Denkstörungen, Bewegungsstörungen

lassen sich Hörstörungen und Sprechbewegungsstörungen feststellen. Schwieriger gestaltet sich die Diagnostik bei den
eigentlichen Sprachstörungen. Hier kommt es darauf an, die
defekten »Schaltstellen« im »Computer Gehirn« ausfindig zu
machen. Das ist zumeist erst bei Drei- und Vierjährigen möglich.
Das Sprachverhalten des Kindes vermag dem Fachmann wichtige Hinweise zu geben.
Wenden wir uns zunächst den akustischen Ursachen von Sprachstörungen zu (vgl. »Gestörte akustische Entwicklung« ab
Seite 100).

Hörstörung und Sprachverständnisstörung

**Bei Sprachstörung
Gehör überprüfen!**

Ein Kind, das Hörschwierigkeiten hat, muß demzufolge auch
Sprachschwierigkeiten haben. Der Zusammenhang ist logisch
und einleuchtend. Dennoch kann man tragischerweise immer
wieder erleben, daß Hörverluste selbst vom Grade einer Schwerhörigkeit unentdeckt bleiben. Die gründliche Gehörsüberprüfung
bei jeder sprachlichen Auffälligkeit, und zwar so früh wie möglich, ist deshalb erstes Gebot.
Sinnesdefekte sind schwieriger aufzufinden als Bewegungs-
defekte. Nachrichtentechnisch ausgedrückt: An einem Computer
wird eine Störung der Eingabe erst dadurch sichtbar, daß etwas
Falsches oder Gestörtes herauskommt. So kann die Tatsache,
daß ein Kind häufig mit seinen Händen vorbeigreift, Anlaß zur
Entdeckung einer Sehstörung sein. Genauso können sprachliche
Auffälligkeiten zur Entdeckung einer Hörstörung führen.

**Sprachverständnis-
störungen**

Während Hörverluste heutzutage schon bald nach der Geburt
erfaßt werden können (vgl. »Gestörte akustische Entwicklung«
ab Seite 100), fallen Sprachverständnisstörungen frühestens um
das erste Lebensjahr, meist aber erst im Verlauf des zweiten
Jahres auf. Wenn der zwölf Monate alte Säugling noch keine
einzige Wortbedeutung erfaßt (vgl. Aufgabe E. 12. im Entwicklungsgitter), so besteht Verdacht auf eine Entwicklungsstörung.
Das ist um so mehr der Fall, wenn das eineinhalbjährige Kind
noch nicht auf seinen Namen reagiert und einfachsten Aufforderungen nicht nachkommt (vgl. E. 15. bis 18.).

**Elterliche
Bestandsaufnahme**

Es fordert von den Eltern ein geduldiges und gründliches
Beobachten ihres Kindes, um danach eine Art Bestandsaufnahme
vornehmen zu können: Welche Wortbedeutungen erfaßt das
Kind sicher? Bei welchen reagiert es nur zufällig? Kann es sein,
daß es sich weniger am gesprochenen Wort als an Mimik und
Gesten orientiert?

**Worte haben
zunächst
Signalbedeutung**

Bei dieser Überprüfung kommt es wesentlich darauf an, festzustellen, ob das Kind nicht nur auf optische, sondern ganz isoliert
auch auf akustische Signale reagiert. Zunächst wirkt ja ein
häufig gesprochenes Wort wie eine Art Signal, welches eine
ganz bestimmte Person, ein Ding, eine Handlung oder Empfin-
dung bezeichnet. Aufgrund unzähliger Wiederholungen wird dem
Baby nach und nach bewußt, was die Signalworte »Mama«,

»happa«, »ei ei«, »ata ata« usw. bedeuten (vergl. E. 14., 23., 24.).
Dann erst kann es richtig darauf reagieren.
Jedes deutliche Zurückbleiben gegenüber den Mindestanforderungen des Entwicklungsgitters in Spalte E. (akustische Wahrnehmung) weist auf eine Störung des Sprachverständnisses.
Die Folge ist naturgemäß, daß das Kind keine aktive und sinnvolle Sprache entwickeln kann.

Wortfindungs- und Satzbildungsstörungen

Der hörend und verstehend aufgenommene Sprachschatz muß
aber auch auf Abruf zur Verfügung stehen. Kinder, denen beim
Sprechen die Worte nur schwer einfallen, haben demzufolge
Schwierigkeiten im Sprachgebrauch. Sie wissen wohl, was sie
sagen wollen; ihnen fällt es aber schwer, sich die Worte durch
entsprechende Nervenschaltungen schnell ins Bewußtsein zu
rufen.

Erschwerte Wortfindung

Weit komplizierter als diese Wortfindungsstörungen sind Störungen des Sprachaufbaus, speziell der Satzbildung, die man in
extremen Fällen als »Agrammatismus« bezeichnet. Agrammati-
sche Kinder verfügen über einen genügenden Wortschatz und
können ihn auch gut aus dem Gedächtnis abrufen. Sie können
die einzelnen Wörter jedoch nicht zu einem Satz zusammen-
fügen, weil sie über keine Satzstrukturmuster verfügen.
Das relativ einfache Formulieren eines aus Haupt- und Tätigkeitswort bestehenden Zweiwortsatzes (vgl. Gitterfunktion D. 29.)
können diese Kinder selbst mit vier Jahren oft noch nicht
schaffen. Und das, obwohl sie oft über 100 oder mehr Wörter
verfügen.

Agrammatismus

Hier handelt es sich nicht einfach um eine Spätentwicklung, wie
leider häufig angenommen wird. Ein solcher Rückstand spricht
immer für die Annahme einer krankhaften Sprachentwicklungs-
störung, die gezielter sprachheilpädagogischer Betreuung bedarf.

Heilpädagogische Maßnahmen

Sprachpraktische Störungen

Eine Störung, die genau zwischen den bisher dargestellten, mehr
auf geistiger Basis beruhenden Sprachstörungen und den
eigentlichen Sprechbewegungsstörungen liegt, ist die im folgenden zu besprechende Sprachgebrauchsstörung. Über ihre
eigentlichen Ursachen bestehen noch Unklarheiten. Ein Vergleich mit der normalen Sprachentwicklung mag zum besseren
Verständnis beitragen.

Der sich altersgemäß entwickelnde Säugling wiederholt ganz
bestimmte Lautfolgen und Wörter in nimmermüder Entdecker-
freude. Dabei prägt er sich noch unbewußt ein, daß bestimmte
Stimmgebungen in Verbindung mit bestimmten Mundbewegungen bestimmte Laute und Worte erzeugen.

Normale Säuglings-entwicklung

Rückmeldungen über Muskelspindeln

Dieses kleine Entwicklungswunder ist über zwei Rückmeldungssysteme möglich: über das Ohr und über die Muskelspindeln, den Sitz der Bewegungsempfindung. Sie melden dem Gehirn laufend, was die Lippen- und Zungenmuskeln tun. So können oft wiederholte Bewegungsfolgen als eine Art Bewegungsmuster im Gedächtnis gespeichert werden. In Kombination mit den Gehörseindrücken ermöglichen sie den Erwerb der Sprechtechnik und der Sprachkontrolle.

Gestörte Säuglingsentwicklung

Sehen wir uns im Vergleich dazu die früheste Sprachentwicklung von Kindern an, die gedachte Worte und Sätze nicht an die an sich intakten »Sprechwerkzeuge« des Mundes weiterleiten können. Diese Babys plappern im Vergleich zu sprachgesunden Babys recht wenig. Sie kommen meist über Selbstlaute (a, e, i, o, u) nicht hinaus, und manche bringen noch nicht einmal diese zustande.
Am Hören kann es nicht liegen. Sie vermögen ihre eigenen Lautproduktionen gut zu hören, wie sie als ältere Kinder auch andere gut hören und den Sinn des Gesagten verstehen können.

Gedächtnisstörung für Sprachbewegungsmuster

Es hat aber den Anschein, als ob bei diesen in der Sprachpraxis gestörten Kindern das andere Rückmeldungssystem nicht funktioniert. Jedenfalls kommen keine Muskelzustandsmeldungen im Gehirn an, so daß eine wichtige »Nachrichtenverbindung« ausfällt. Das Bewegungsgedächtnis kann keine Zungenbewegungsmuster speichern und sie mit Wortklängen, die das Ohr aufnimmt, in Verbindung bringen.
Wenn die »Befehlszentrale« des Gehirns nun Sprachmuster in Bewegungsmuster umsetzen will, so ist sie hilflos. Sie kann keine entsprechenden Bewegungsbefehle an die Mundmuskeln geben, weil sie keine Muster im Bewegungsgedächtnis gespeichert hat. Demzufolge »weiß« die Zunge nicht, was sie tun soll.

Mundmuskeln erhalten keine Sprechbefehle

Das Kind hat alles im Kopf, was es sagen möchte. Die Sprechmuskeln seines Mundes sind voll bewegungsfähig. Und dennoch bringt es keine gesprochene Sprache zustande, weil die Sprechmuskeln keine Bewegungsanweisungen erhalten. Die Ursache liegt wahrscheinlich, wie schon angedeutet, in der Unfähigkeit des Gehirns, Bewegungserinnerungen aufzubewahren bzw. in einem Mangel oder Fehlen von Sinnesrückmeldungen aus den Muskelspindeln an das Gehirn.

Sprach-Apraxie

Ist die Verbindung zwischen Zentrale und Ausführorganen unterbrochen, so kann das gewünschte Wort nicht in die Sprachpraxis überführt werden. Diese Störung wird daher auch als »Sprach-Apraxie« bezeichnet.
Während bei der »Sprach-Apraxie« eine Umsetzungsstörung vom Sprachdenkmuster auf das Sprechbewegungsmuster anzunehmen ist, handelt es sich bei den im folgenden zu besprechenden Krankheitsbildern um hirnorganisch verursachte Störungen des Sprechablaufs.

Sprechbewegungsstörungen

Wenn die Sprachlaute sich nicht so wie bei anderen Kindern zu bilden beginnen, könnte es sein, daß die »Sprechwerkzeuge« des Mundes defekt sind. Das kann z. B. der Fall sein bei Gebißanomalien lispelnder Kinder, bei Wucherungen oder Gaumensegellähmungen näselnder Kinder, vor allem aber bei Lippenund Gaumenspalten (Hasenscharte, Wolfsrachen). Bei manchen Kindern sind Gaumenspalten nicht gleich sichtbar, weil sie mit Schleimhaut überwachsen sind. Hier kann nur eine fachärztliche Untersuchung Klärung schaffen. Ziel ist in jedem Fall eine möglichst frühe Operation dieser sprechbehindernden Öffnungen.

Anatomische Ursachen

Der Ausdruck Sprechbehinderung oder Sprechstörung weist schon darauf hin, daß der Ablauf des Sprechvorganges erschwert ist. Dabei können die Mundmuskeln in gleicher Weise kraftlos, plump und schwerfällig sein wie alle anderen Muskeln des Körpers, seiner Glieder, der Hände und der Augen.

Solche schweren Bewegungsbeeinträchtigungen sind immer Auswirkungen frühkindlicher Hirnschäden. Sie betreffen vor allem die Kau-, Lippen- und Zungenmuskeln. Dazu kommen Störungen in den Muskeln, die Kehlkopf und Gaumensegel bewegen.

Hirnorganisch bedingte Muskelschwäche

Vom Erscheinungsbild her unterscheidet man Eßstörungen, Atem- und Stimmstörungen sowie Lautbildungs- und Aussprachestörungen, zu denen unter anderem Stammeln und Stottern gehören. Bei spastisch gelähmten Kindern z. B. kann die Aussprache so verwaschen sein, daß sie nur die Mutter mit viel Mühe verstehen kann. Zumeist bestehen hier immer noch Restzustände von Eßstörungen.

Bei der Nahrungsaufnahme treten die gleichen Muskeln wie beim Sprechen in Tätigkeit. Eßstörungen dürfen keinesfalls übersehen oder auf die leichte Schulter genommen werden. Wenn die Mundmuskeln schon Schwierigkeiten damit haben, die Nahrung zu zerkleinern, wieviel Mühe muß es ihnen dann machen, den so überaus komplizierten Sprechvorgang zu bewältigen? Eßstörungen deuten immer auf spätere Sprechschwierigkeiten hin.

Eßstörungen als Vorläufer von Sprachstörungen

Abgesehen von einer Überempfindlichkeit der Mundschleimhaut kommen als Ursache allein Hirnschäden in Betracht. Hirngeschädigten Babys fällt es besonders schwer, sich vom frühen Entwicklungsstadium der Beiß- und Würgereflexe zu lösen. Sie haben große Mühe, eine auch nur annähernde Bewegungskontrolle über das Saugen, Schlucken, Lecken und Kauen zu erlangen. In einer gezielten Eßtherapie werden diese Funktionen durch richtige Kopf- und Körperhaltung erleichtert, so daß die eßgestörten Kinder allmählich von der Breinahrung auf Normalkost umgestellt werden können.

Gezielte Eßtherapie

Atem- und Stimmstörungen äußern sich in schwach gehauchter und teils ganz versagender Stimmgebung. Bisweilen kommt es

Atem- und Stimmstörungen

zu einem regelrechten »Wackelkontakt« der Stimme. Sie hört sich dabei gepreßt, hoch und schrill an.

Stammeln

Beim Stammeln haben wir es mit einer Sprechentwicklungsstörung zu tun. Das Unvermögen, bestimmte Laute zu bilden, ist in den ersten vier Lebensjahren noch als altersgemäß anzusehen. Tritt es aber später immer noch auf, so muß – je älter das Kind ist, um so mehr – an eine ursächliche Hirnstörung bzw. auch an eine Schwerhörigkeit gedacht werden.

Lispeln
Näseln

Zum Oberbegriff des Stammelns gehören auch Lispeln und Näseln. Bei beiden Sprechstörungen können anatomische Defekte die Ursache sein. Eltern sollten hier immer beim Hals-Nasen-Ohren-Arzt Rat und Hilfe suchen.

Stottern

Beim Stottern liegt eine Störung des Redeflusses vor. Seine Ursachen sind vielschichtig und reichen von familiärer Veranlagung bis zu seelischen Störungen. Nach neueren wissenschaftlichen Erkenntnissen spielen beim Stottern zu 80 % Hirnfunktionsstörungen eine wesentliche Rolle.

Poltern

Zeitweiliges Stottern und Poltern (überhastetes Sprechen) findet sich manchmal bei relativ jungen Kindern. Es tritt besonders als Folge einer zu strengen Spracherziehung auf, wobei die Eltern zuviel an der Kleinkindsprache herumkorrigieren. Je weniger diese rein seelisch bedingten Redeflußhemmungen beachtet werden, desto besser für das Kind.

Vorbeugung,
Verhütung

Im Hinblick auf die Möglichkeit der Vorbeugung und Verhütung von Sprechstörungen fällt dem Säuglings- und Kleinkindalter die größte Bedeutung zu. Wie wir gesehen haben, führt die Sprachentwicklung von der Nahrungsaufnahme über Lallen und Wortnachahmung (Echosprache) bis zur Spontansprache (vgl. »Entwicklung der Sprache« ab Seite 88).

Kranken-
gymnastische
Spezialbehandlung

Hemmen Sprechbewegungsstörungen diesen Entwicklungsprozeß, so sind unverzüglich Therapiemaßnahmen einzuleiten. Sie betreffen im Anfang viel weniger bestimmte Lippen- und Zungenübungen, Nachsprech- und Spiegelkontrollübungen als vielmehr ganzkörperliche Bewegungsübungen. Hier ist an erster Stelle die krankengymnastische Übungsbehandlung nach BOBATH zu nennen.

Fingerübungen
als Therapie

Neueste russische Forschungen haben außerdem ergeben, daß täglich mehrmals minutenweise durchgeführte passive und aktive Hand- und Fingerbewegungsübungen einen überaus günstigen Einfluß auf die gesamte Sprachentwicklung rückständiger Kinder auszuüben vermögen.

Damit nicht wertvolle, für gezielte Sprachtherapiemaßnahmen zu nützende Zeit verstreicht, sollten Eltern auf folgende Warnzeichen achten:

- Lippen und Gaumenspalten,
- ständiges Herausfließen des Speichels,
- Saug- und Trinkschwierigkeiten,
- Eßschwierigkeiten, verbunden mit Würgen und Beißen,
- Herausbringen des Breies mit der Zunge,
- Ausbleiben des Lallens,
- Ausbleiben des Lautnachahmens,
- keine Anzeichen für Sprachbedürfnis,
- unverständliche, verwaschene Sprache.

Warnzeichen
für Sprachstörungen

Auskunft über entsprechende Untersuchungs- und Behandlungs-
zentren für Sprachgestörte erteilen die »Deutsche Gesellschaft
zur Förderung der Hör-Sprachgeschädigten«, 2 Hamburg 52,
Bernadottestraße 126, sowie die »Deutsche Gesellschaft für
Sprachheilpädagogik e. V.«, 2 Hamburg 63, Wittekopsweg 35.

Wo Eltern
Auskunft erhalten

4.7. Gestörte Sozialentwicklung

Wie in keinem anderen Funktionsbereich wirkt sich das Fehlen
früher sozialer Entwicklungsanregungen geradezu katastrophal
für das betreffende Kind aus. Soziale Vernachlässigung und
Mangel an mütterlicher Zuwendung in den ersten drei Lebensjahren sind später kaum mehr aufzuholen.

Vernachlässigung

Auch im Sozialbereich gibt es »Lernzeiten«. Die Seele des
Kindes wird schon innerhalb der Säuglingszeit geprägt. Hier
entscheidet es sich, ob das Kind reich oder arm an Gefühl und
Gemüt ist, ob es später am Gemeinschaftsleben aktiv teilnehmen
kann oder ein gemeinschaftsfremder, unverstandener Einzel-
gänger bleibt.

Soziales Lernen

Sozialmediziner weisen eindringlich darauf hin, daß Säugling
und Kleinkind die Mutter dringend brauchen. Ihre Gegenwart
über viele Stunden am Tag mit den unzähligen kleinen Gelegenheiten zum Kosen und Zärtlichsein ist die Grundlage einer
gesunden, altersgerechten Sozialentwicklung.
Fehlt die Mutter oder eine konstante mütterliche Pflegeperson,
so tritt nicht nur ein Rückstand ein, sondern meist zugleich eine
tiefgreifende Störung im Sozialkontakt. Der Säugling kann dann
eigenartige stereotype Schaukel- und Wackelbewegungen zeigen. Da Gefühlskontakte zu anderen ausbleiben, wendet er sich
enttäuscht von der Umwelt ab. Höchstens Gegenstände vermögen ihn noch zu interessieren. Ansonsten kapselt er sich ab
und zieht sich in sich selbst zurück.

Baby und Kleinkind
brauchen die Mutter

Stereotypien

Das ändert sich auch später leider nicht. Diese Kinder bleiben
stumpf und teilnahmslos. Oder aber sie werden übermäßig kon-
takthungrig. Dann versuchen sie, ohne Gefühl für Distanz, sich
jedem aufzudrängen. Eine weitere Form der sozialen Kontakt-

Zuwenig oder
zuviel
Kontaktbedürfnis

Aggressionen bei Heimkindern

störung ist die Aggressivität. Solche unglücklichen Kinder verspüren den ständigen Drang, anderen Menschen und Tieren wehzutun und sie zu quälen. Derartige Verhaltensstörungen treten bei Heimkindern gehäuft auf. Denn selbst die hygienischste Massenpflege vermag niemals die elterliche Liebe und Wärme zu ersetzen.

Zum Glück sind derart ausgeprägte soziale Fehlverhaltensweisen nicht die Regel. In abgeschwächter Form sind sie aber leider häufiger anzutreffen, als man gemeinhin glaubt. Gefährdet

Sozial gefährdete Kinder

sind vor allem unerwünschte und uneheliche Kinder, Scheidungskinder und Kinder aus zerrütteten Ehen. Aber auch eheliche Kinder arbeitender Mütter sind in den ersten Lebensjahren den Gefahren einer sozialen Fehlentwicklung ausgesetzt. Selbstverständlich stellen gefühlskalte, prinzipienreitende und reinlichkeitsfanatische Mütter und Väter ebenfalls eine ernste Gefahr für die Gemütsentwicklung ihrer Kinder dar.

Nun gibt es leider aber auch tragische Fälle, in denen sich ein Kind, oft trotz warmherziger mütterlicher Fürsorge, sozial fehlentwickelt. Man nennt diese Kinder »autistisch« (auf sich selbst

Frühkindlicher Autismus

bezogen). Der Verdacht auf einen »frühkindlichen Autismus« – so heißt dieses seltene Krankheitsbild – sollte vorsorglich immer dann erhoben werden, wenn sich im Sozialentwicklungsgitter (s. Seite 64-65) ein auffallend großer Rückstand zeigt.

Wenn auch individuelle soziale Therapien sehr langwierig sind und von Eltern und Therapeuten oft ein unvorstellbares Maß an

Früherkennung notwendig

Geduld erfordern, so gilt auch hier der vielfach bewiesene Satz, daß frühzeitige Erkennung die besten Heilungschancen bietet.

Die folgenden Warnzeichen deuten auf eine abnorme Sozialentwicklung und legen bei gehäuftem oder massivem Auftreten den Verdacht auf eine krankhafte autistische Verhaltensstörung nahe. Es sei aber ausdrücklich darauf hingewiesen, daß ein Symptom allein noch keine krankhafte Bedeutung hinsichtlich der Sozialentwicklung zu haben braucht. Die Warnzeichen sind in der etwaigen Reihenfolge ihres Auftretens im Laufe der Säuglings- und Kleinkindzeit aufgeführt:

Warnzeichen für Sozialentwicklungsstörungen

- auffallend ruhig, interessiert sich nicht für die Umwelt,
- ausdruckslose Mimik sowie grundloses Grimassenschneiden,
- sieht durch Erwachsene hindurch, statt sie anzulächeln,
- macht den Eindruck eines tauben Kindes,
- sperrt sich ständig gegen Kontakt und wehrt konstant Zärtlichkeiten ab,
- zieht sich auf sich selbst zurück und kapselt sich ab,
- ahmt nichts nach und zeigt kein Mitteilungsbedürfnis,
- zeigt unbegründete Ängste,
- wirkt ständig unruhig und innerlich getrieben,
- ist dauernd in Bewegung und geht oft auf Zehenspitzen,
- kann nicht bei einer Beschäftigung bleiben,
- leidet unter Zwängen, z. B. übertriebene Ordnungsliebe,
- schleppt ständig einen bestimmten Gegenstand mit sich herum,
- liebt sture, stereotype und primitive Tätigkeiten,
- interessiert sich nur für Dinge, insbesondere technische,

- dreht und kreiselt gern kleine Gegenstände,
- beleckt und beriecht Gegenstände,
- ist am zufriedensten allein,
- besteht auf bestimmten Gewohnheiten und Ritualen,
- gerät in Panik, wenn etwas anders ist als gewohnt,
- grundlose Wutausbrüche mit Sachzerstörungen,
- beißt, kratzt oder schlägt sich in Wut selbst,
- führt die Hand des Erwachsenen, um etwas zu erreichen,
- versteht nicht, was man zu ihm sagt,
- wiederholt die Frage, statt zu antworten,
- spricht von sich selbst als »du«.

Eltern können sich in Zweifelsfällen an folgende Institutionen wenden:
»Hilfe für das autistische Kind e. V.«, 2 Hamburg 60, Bebel-allee 141;
Gerda-Crummenerl-Verlag, 588 Lüdenscheid, Postfach 1330;
»Aktion Sonnenschein«, Institut für Verhaltenstherapie, 8 München, Güllstraße 3;
Heimschule Brachenreuthe, 777 Überlingen/Bodensee.

Wo Eltern Rat bekommen

4.8. Frühwarnzeichen für Eltern

Eltern haben ein Recht darauf, alles über ihr Kind zu wissen. Sie übernehmen vom Beginn der Schwangerschaft an die volle Verantwortung für sein Wohlergehen. Dieser Verpflichtung können sie aber nur gerecht werden, wenn sie Kenntnis haben von der frühkindlichen Entwicklung, aber auch von möglicherweise auftretenden Störungen.
Es genügt heute nicht mehr, wenn nur der Arzt Bescheid weiß, die Eltern aber im dunkeln tappen. Die Forderung nach Früherkennung krankhafter Störungen kann nur durch verantwortliche Mitarbeit der Eltern realisiert werden. Dabei sollen sie keinesfalls dem Arzt durch angelesenes Halbwissen ins Handwerk pfuschen. Nur er kann auf Grund seiner medizinischen Sachkenntnis und seiner klinisch-diagnostischen Erfahrung beurteilen, welche Art von Störung vorliegt und welcher Therapie sie bedarf. Die Eltern können ihm aber ihre Beobachtungen mitteilen und dadurch seine Arbeit unterstützen. Nur so kann eine gleichberechtigte Partnerschaft auf der Grundlage gegenseitiger Achtung und gegenseitigen Verständnisses entstehen.

In diesem Sinne schließt das Buch mit einer Zusammenstellung der wichtigsten körperlichen und geistig-seelischen Entwicklungsauffälligkeiten. Ihre genaue Kenntnis soll den Eltern ein gezieltes Beobachten ihres Babys ermöglichen. Die meisten der angegebenen vierzig Alarmzeichen sind schon bald nach der Geburt oder im Verlauf der ersten Lebensmonate erkennbar. Ihnen kann – je nach Alter des Auftretens – unterschiedliche Bedeutung zukommen. Darüber wird im einzelnen nur der erfahrene Arzt befinden können.

Gehen Sie mit Ihrem Baby bei den folgenden Warnzeichen zum Arzt:
1. wenn seine Haut übermäßig blaß oder bläulich aussieht,
2. wenn sein Kopf auffallend geformt, besonders groß oder klein ist*,
3. wenn das Baby trinkschwach ist und schlecht schlucken kann,

* Die Durchschnittswerte liegen bei Neugeborenen etwa um 33-37 cm, mit 3 Monaten um 41 cm, mit 6 Monaten um 44 cm und mit 1 Jahr um 47 cm Kopfumfang.

4. wenn es häufig erbricht,

5. wenn es oft wimmert oder lange andauernd schreit,

6. wenn es unter Atemnot leidet,

7. wenn es steif wird und krampft,

8. wenn sein Körper ganz oder einseitig schlaff oder steif ist,

9. wenn es seine Gliedmaßen stark gestreckt oder gebeugt hält,

10. wenn sich seine gestreckten Beine überkreuzen,

11. wenn es seinen Kopf stark in den Nacken nimmt,

12. wenn es den Kopf immer nach einer Seite gedreht hält,

13. wenn Ihr Baby zu ruhig ist und sich nur wenig bewegt,

14. wenn es Unruhe zeigt und fast ständig in Bewegung ist,

15. wenn Arm oder Bein einer Körperseite nicht bewegt werden,

16. wenn an Gesicht, Körper oder Gliedmaßen Zuckungen auftreten,

17. wenn das Baby oder das Kleinkind auffallend zittert,

18. wenn es nach einigen Monaten immer noch schreckhaft ist,

19. wenn es bei Hautberührung überempfindlich oder gar nicht reagiert,

20. wenn es konstant Zärtlichkeiten ablehnt,

21. wenn das halbjährige Baby seine Hände nicht öffnen kann,

22. wenn es dann immer noch nichts in den Mund nimmt,

23. wenn der Speichel ständig aus dem Mund rinnt,

24. wenn seine Augen ruhelos hin- und herpendeln,

25. wenn es sich in den Augen bohrt,

26. wenn es schielt,

27. wenn es seine Umwelt nicht beobachtet,

28. wenn es nicht in Ihr Gesicht sieht und zurücklächelt,

29. wenn es nicht auf Geräusche oder Anrufen reagiert,

30. wenn es sich öfters gegen seine Ohren trommelt,

31. wenn es keinen Drang zum Nachahmen zeigt,

32. wenn es sich nicht durch Laute und Gesten mitteilt,

33. wenn es nicht fröhlich zu plappern beginnt,

34. wenn seine Mimik leblos und ausdruckslos wirkt,

35. wenn es grundlos Grimassen schneidet,

36. wenn es grundlos schnalzt, kaut, schluckt oder schnüffelt,

37. wenn es mit Körper oder Kopf ständig schaukelt oder wackelt,

38. wenn es grundlos ängstlich erregt ist oder in Panik gerät,

39. wenn es sich selbst haut, beißt, blutig kratzt oder sich Haare ausreißt,

40. wenn es zeitweilig abschaltet und nicht ansprechbar ist.

Suchen Sie bei gröberen Auffälligkeiten lieber früher als zu spät den Arzt auf. Sie haben gesetzlichen Anspruch auf Vorsorgeuntersuchungen. Wenden Sie sich an einen Kinderarzt oder an die örtliche Kinderklinik. In manchen Städten gibt es außerdem Frühberatungsstellen oder Kinderneurologische Zentren.

Die Adressen sind über das zuständige Gesundheitsamt oder bei der Bundesarbeitsgemeinschaft »Hilfe für Behinderte e. V.«, 4 Düsseldorf, Kirchfeldstraße 149, zu erfahren.

Weiterführende Literatur für Eltern

Arbeitsausschuß Gutes Spielzeug e. V. (Herausgeber): »Gutes Spielzeug. Ein Handbuch für die richtige Wahl«, erschienen im Otto-Maier-Verlag, Ravensburg 1972

Bach und Mitarbeiter: »Früherziehungsprogramme«, Marhold-Verlag, Berlin 1974

Bönninghausen: »Spiel mit mir – lern mit mir« (ZDF-Elternschule), erschienen im Rudolf-Müller-Verlag, Köln 1972

Bundesministerium für Jugend, Familie und Gesundheit (Herausgeber): »Für uns – Hilfen für die Familien. Ein Familienratgeber«, kostenlos anzufordern über das Referat Öffentlichkeitsarbeit beim Gesundheitsministerium, 53 Bonn-Bad Godesberg, Kennedyallee 105 bis 107

Bundeszentrale für gesundheitliche Aufklärung (Herausgeber): Merkblatt zum Film »Was kann dein Kind – was soll es können«, Broschüre »Behinderte Kinder«, beides kostenlos anzufordern über die Bundeszentrale für gesundheitliche Aufklärung, Köln, Postfach

Deutsche Nestlé GmbH.: »Nestlé Elternschule in 5 Lehrprogrammen«, erschienen im Verlag Kohlhammer, Stuttgart.

Quellennachweis zur Gitterkonstruktion

Bayley, N.: The Development of Motor Abilities during the First Three Years, Monogr. Soc. Child. Developm., Washington 1, 1935, 1-26

Ball, R. S.: Irreversible Maturity Indicators in Mental Test Items, Dptm. Psychol., Arizona State Univ., Temple, Arizona 1966

Blankenstein, M. van, Welbergen, U., und Haas, J. H. de: Le développement du nourisson. Presses Universitaires de France, Paris 1962

Bobath, B.: Abnorme Haltungsreflexe bei Gehirnschäden, Thieme, Stuttgart 1968

Brock, J. (Hrsg.): Biologische Daten für den Kinderarzt. Bd. II, Springer, Berlin 1934

Brunet, O., und Lézine, I.: Le développement psychomoteur de la première enfance. Presses Universitaires de France, Paris 1971

Bühler, Ch., und Hetzer, H.: Kleinkindertests. Entwicklungstests vom 1. bis 6. Lebensjahr, Barth, München 1970

Cain, L. F., Levine, S., und Freeman, F. E.: Cain-Levine Social Competency Scale. Manual, Consultanting Psychologists Press, Palo Alto, California 1963

Casati, L., und Lézine, I.: Les étapes de l'intelligence sensorimotrice, Centre de Psychologie appliquée, Paris 1968

Cattell, P.: The Measurement of Intelligence of Infants and Young Children, The Psychological Corporation, New York 1947

Cratty, B. J.: Perceptual and Motor Development in Infants and Children, MacMillan, New York 1970

Dobler, H.-J.: Biologische Reifung der neurologischen und statomotorischen Entwicklung, FdM-Tabellen 1. Fortschr. Med. 88, 1970, 21-25

Doll, E. A.: The Measurement of Social Competence. A Manual for the Vineland Social Maturity Scale, Ed. Test Bureau, Ed. Publ., New York 1953

Doman, G., Delacato, C., und Doman, R.: The Doman-Delacato Developmental Profile, The Institutes for the Achievement of Human Potential, Philadelphia o. J.

Diem: »Kinder lernen Sport. Sport im 1. bis 3. Lebensjahr«, erschienen im Kösel-Verlag, München 1974

Diem: Auf die ersten Lebensjahre kommt es an, Deutsche Verlagsanstalt, Stuttgart 1976.

Getman: »Intelligente Kinder durch Erziehung«, Hyperion-Verlag, Freiburg i. Br. 1967

Hellbrügge und Wimpffen (Herausgeber): »Die ersten 365 Tage im Leben eines Kindes«, TK-Verlagsunion, München

Herzka: »Das Kind von der Geburt bis zur Schule«, Schwabe-Verlag, Basel und Stuttgart, 3. Aufl. 1975

Herzka und Binswanger: »Spielsachen für das gesunde und behinderte Kind«, Schwabe-Verlag, Basel und Stuttgart 1974

Holt: »Wie Kinder lernen«, Beltz-Verlag, Weinheim 1971

Ohlmeier: »Frühförderungsprogramme für behinderte Kinder« (0—6), verlag modernes lernen, Dortmund 1979

Painter: »Babyschule. Programmiertes Intelligenztraining für Kleinkinder«, Bertelsmann-Verlag, Gütersloh 1972

Sinnhuber: Spielmaterial zur Entwicklungsförderung von der Geburt bis zur Schulreife, verlag modernes lernen, Dortmund 1978

Zottmann: »Die ersten fünf Jahre. 73 pädagogische Lektionen für junge Eltern«, Klett-Verlag, Stuttgart 1973

Downs, M. P.: **Proposed Guidelines for Infant Hearing Screening Programs,** Joint Committee on Newborn Screening Meeting, Denver, Colorado 1971

Espenschade, A. S., und Eckert, H. M.: **Motor Development,** Merrill, Columbus, Ohio 1967

Flehmig, I. (Hrsg.): **Der Denver Suchtest.** Deutsche Standardisierung, Spastiker-Verein, Hamburg-Harburg 1973

Frankenburg, W. K., und Dodds, J. B.: **The Denver Developmental Screening Test,** J. Pediat. (St. Louis) 71, 2, 1967, 181-191

Gesell, A.: **Infant Development,** Harper, New York 1952

Gesell, A., und Amatruda, K. S.: **Developmental Diagnosis.** Normal and Abnormal Child Development, Hoeber, New York ⁸1958

Gesell, A., und Ilg, F. L.: **Säugling und Kleinkind in der Kultur der Gegenwart,** Christian, Bad Nauheim ⁶1967

Griffith, R.: **The Abilities of Babies,** University Press, New York 1954

Günzburg, H. C.: **Primäre pädagogische Analyse und Curriculum der Sozialentwicklung,** SEFA Publ. Ltd., 240 Holliday Street, Birmingham (England) o. J.

Guilmain, E., und Guilmain, G.: **L'activité psycho-motrice de l'enfant.** Son évolution jusqu'à 12 ans, Vigné, Paris 1971

Hellbrügge, Th., und Pechstein, J.: **Entwicklungsphysiologische Tabellen für das Säuglingsalter:** Diagnostik der statisch-motorischen Entwicklung, FdM-Tabellen 11. und 14. Fortschr. Med. 86, 1968, 481-484; 608-609

Hellbrügge, Th., Menara, D., Reiner-Schamberger, R., und Stünkel, S.: **Funktionelle Entwicklungsdiagnostik im 2. Lebensjahr,** FdM-Tabellen 12. und 13. Fortschr. Med. 89, 1971, 558-562

Hurlock, E.: **Die Entwicklung des Kindes,** Beltz, Weinheim 1970

Illingworth, R. S.: **The Development of the Infant and Young Child:** Normal and Abnormal, Williams and Wilkins, Edinburgh/London ⁴1970

Johnson, M. K., Zuck, F. N., und Wingate, K.: **The Motor Age Test.** Measurement of Motor Handicaps in Children with Neuromuscular Disorders such as Cerebral Palsy, J. Bone Jt. Surg. (Boston), 33a, 1951

Kiphard, E. J.: **Sensomotorische Frühdiagnostik und Frühtherapie.** In Eggert, D., und Kiphard, E. J. (Hrsg.): Die Bedeutung der Motorik für die Entwicklung normaler und behinderter Kinder, Hofmann, Schorndorf ²1973, 12-40

Kiphard, E. J.: **Probleme der sensomotorischen Entwicklungsdiagnostik im Kleinkind- und Vorschulalter.** In Bundesinstitut für Sportwissenschaft (Hrsg.): Motorik im Vorschulalter, Hofmann, Schorndorf 1975, 103 bis 116

Kiphard, E. J.: **Sensomotorische Frühdiagnostik und Frühförderung.** In Bundesvereinigung Lebenshilfe für geistig Behinderte e. V. (Hrsg.): Frühe Hilfen – wirksamste Hilfen, Marburg 1975, 111-122

Kleinpeter, U., und Schubert, C.: **Zur Früherfassung entwicklungsgestörter Kinder,** Zsch. ärztl. Fortb. 67, 7, 1973, 330-334 (VEB Gustav Fischer, Jena)

Knobloch, H., Pasamanick, B., und Shephard, E. S.: **A Developmental Screening Inventory for Infants,** Pediatrics (Springfield) 38, 6, 1966, 1095-1133

Lenneberg, E. H.: **Biological Foundations of Language,** Wiley, New York 1967

Lewis, M. M.: Infant Speech: **A Study of the Beginning of Language,** Humanities, New York 1951

Lézine, I., Stambak, M.. und Casati, I.: **Les étapes de l'intelligence sensori-motrice,** Centre de Psychologie appliquée, Paris 1969

McGraw, M.: **The Neuromuscular Maturation of the Human Infant,** Hafner, New York 1963

Milani-Comparetti A., und Gidoni, E. A.: **Routine Developmental Examination in Normal and Retarded Children,** Devel. Med. Child Neurol. (London), 11, 1966, 631-638

Olson, W. C.: **Child Development,** Heath, Boston 1959

Schmidt-Kolmer, E.: **Verhalten und Entwicklung des Kleinkindes,** Akademie-Verlag, Berlin 1959

Shirley, M. M.: **The First Two Years,** Vol. I. Postural and Locomotor Development, Vol. II. Intellectual Development, Univ. of Minnesota Press, Minneapolis 1931 und 1933

Stott, L. H.: **Child Development,** Holt, Reinhart and Winston Inc., London 1963

Stott, L. H., und Ball, R. S.: **Infant and Preschool Mental Test:** Review and Evaluation, Society for Research in Child Development, 30, 3, 1965

Valett, R. E.: **A Psychoeducational Profile of Basic Learning Abilities,** Consult. Psychol., Palo Alto, California 1966

Vlach, V.: **Ein Screeningtest zur Früherkennung von Entwicklungsstörungen beim Säugling,** Pädiat. Prax. (München), 11, 1972, 385

Volanski, N., und Zdanska-Brincken, M.: **A New Method for the Evaluation of Motor Development of Infants,** Polish Psychol. Bull., 4, 1, 1973, 43-53

Wellmann, B. L.: **Motor Achievements of Preschool Children,** Child Educ, 13, 1937, 311-316

Zimmermann, I. L., Steiner, V. G., und Evalt, R. L.: **Preschool Language Manual,** Merrill, Columbus, Ohio 1969

Hinweise auf weitere Bücher des Autors

Kiphard: Unser Kind ist ungeschickt (**z. Z. vergriffen. Erweiterte Neuauflage geplant**).

Hünnekens/Kiphard: **Bewegung heilt.** Psychomotorische Übungsbehandlung bei entwicklungsrückständigen Kindern. Ludw. Flöttmann Verlag, Gütersloh, 6., erw. Aufl. 1977

Kiphard/Huppertz: **Erziehung durch Bewegung.** Leibesübungen mit behinderten Kindern. Verlag Dürrsche Buchhandlung, Bad Godesberg, 4. Aufl. 1977

Kiphard: **Leibesübung als Therapie.** Bewegungspädagogische und heilpädagogische Grundlagen. Ludw. Flöttmann Verlag, Gütersloh, 3. Aufl. 1980

Kiphard: **Bewegungs- und Koordinationsschwächen im Grundschulalter** (Schriftenreihe zur Praxis der Leibeserziehung und des Sports, Band 39). Hofmann Verlag, Schorndorf, 3. Aufl. 1977

Kiphard: **Bewegungsdiagnostik bei Kindern.** Beiträge zur schulischen und klinischen Heilpädagogik. Ludw. Flöttmann Verlag, Gütersloh, 2. Aufl. 1978

Eggert/Kiphard (Hrsg.): **Die Bedeutung der Motorik für die Entwicklung normaler und behinderter Kinder.** Hofmann Verlag, Schorndorf, 4. Aufl. 1980

Kiphard: **Psychomotorische Entwicklungsförderung, Band 1: Motopädagogik,** verlag modernes lernen, Dortmund 1979

Kiphard: **Psychomotorik als Prävention und Rehabilitation,** Flöttmann Verlag, Gütersloh 1979

Stichwortverzeichnis

Alarmzeichen → Warnzeichen 12, 104, 113
Anpassung – 77, 79
   an die Umwelt 75
Aggression 112
Agrammatismus 107
Athetose, Athetotiker 102
Augen – 83
   A.beweglichkeit 83
   A.muskeln
   A.muskelschwächen 97
   A.zittern 99
autistisch 100, 103, 112

Balancestörung 95
Bewegungs – 76
   B.antwort 79
   B.befehl 79, 108
   B.empfindung 108
   B.gedächtnis 108
   B.handlung 76, 79, 83
   B.muster 108
   B.reaktion 78
   B.spiele 81
   B.ungeschick 81
   Drehbewegungen 97
   Experimentierbewegung 88
   Zitterbewegungen 96
Computer 9, 78, 79, 92, 97, 100, 106

Denken 85, 86, 105

Echolalie 89
Entwicklungs –
   E.alter 11
   E.profil 13
   E.rückstand 12, 92
   E.tempo 10, 12, 13
   E.verzögerung 13

Feedback → Rückkoppelung 79
Früherkennung 112, 113
Frühberatung 114

Gaumenspalte 109
Gedächtnis 75, 108
Gehirn → Hirn 75, 76, 78, 84, 92, 97, 99,
   102, 106, 108
Gleichgewicht → Balance

Handlung → Bewegungshandlung 76, 79, 83
Heimkinder 112
Hirn – 9, 79, 100
   H.reife 77
   H.(funktions)störung 103, 110
   H.schädigung 92, 100, 109
Hören –
   Hörberatung 104
   H.störung, zentrale 100, 102, 103
   H.verlust 102, 106

   H.zentrum 87
   Richtungshören 87
   Schwerhörigkeit 101, 105, 106, 110
Hospitalismus 92

Intelligenz – 78, 81, 98, 105
   I.ladung 80
   I.leistung 83
   akustische I. 87, 103
   optische I. 84, 85
   praktische I. 83
   theoretische I. 85, 86, 87, 88

Körperschemaschwächen 99
Kommunikation 76
Kontakt – 90
   K.pflege 90
   Blickkontakt 91
   Gefühlskontakt 90, 111
   Hautkontakt 91
   Sozialkontakt 90
   Stimmkontakt 91
Konzentrationsstörung 101
Krankengymnastik 110

Lallen 88, 101
Langsamkeit 95
Legasthenie → Lese-Rechtschreibschwäche
   100
Lernen – 75, 84
   Lernangebote 76
   L.bedürfnis 76
   L.behinderung 98, 103
   L.erfahrungen 75, 76, 77, 81, 85, 86
   L.erfolg 76
   L.schritte 77
   L.störungen 100
   L.voraussetzungen 76
   L.zeiten 111
   soziales L. 111
Lese-Rechtschreibschwäche 100

Mindestanforderungen 10
Mißerfolg 78
Mitteilungsbedürfnis 105
Mund –
   M.geschick 88
   M.muskeln 88
Muskelschwäche 94

Nachahmungstrieb 89, 105

Poltern 110

Retardierung → Entwicklungsverzögerung 92
Rückkoppelung, Rückmeldung 79, 88, 108

Sauberkeitserziehung 93
Schielen – 98
   Schielbehandlung 98

Schlaffheit 95
Schwäche 95, 96
Sehen – 83, 84
   Sehnerv 84
   S.schwäche 98
   S.störung, zentrale 84, 99
Seitenunterschiede 95
Signal 106
Sinnes – 75, 79
   S.(nerven)bahnen 75, 78, 79
   S.organe 79
   S.wahrnehmung 75
Spätentwicklung 11, 12, 13
spastisch, Spastiker 98, 101, 109
Spiel – 77
   S.anregungen 77
   Bewegungsspiele 81
   Experimentierspiele 75, 76
Sprech(bewegungs)störung 105, 106
Sprach –
   S.apraxie 108
   S.bedürfnis 90
   S.begriffe 86, 87
   S.besitz 88
   S.gebrauchsstörung 107
   S.heilpädagogik 107
   S.kontakt 86
   S.muster 108
   S.verständnisstörung 103, 106
   S.vorübungen 88
   S.zentrum 87
   Babysprache 90
Stammeln 100, 105, 110
Steifheit 94, 95
Stereotypie 111
Störung – 10, 92, 96, 106
   Atemstörung 93
   Balancestörung 95

   Bewegungsstörung 93
   Darmstörung 93
   Eßstörung 109
   Hörstörung 102, 104
   Konzentrationsstörung 101
   Lernstörung 100
   Sehstörung 99
   Sprachstörung 105
   Stimmstörung 109
   Verhaltensstörung 112
   Wahrnehmungsstörung 92
Stottern 110
Taubheit, Taubstummheit 101, 105
Therapie – 105, 110
   T.programm 7
   Eßtherapie 109
   Sozialtherapie 112
   Sprachtherapie 110
Trainingsform, Trainingsprogramm 7, 86
Umwelt – 75, 77, 84
   U.anregungen 77
   U.anpassung 75
   U.beobachtung 81
   U.entdeckung 81
   U.meldung 78
Vorsorgeuntersuchungen 114
Warnzeichen 94, 95, 96, 99, 104, 110, 112, 113
Wort –
   W.bedeutung 87, 106
   W.etiketten 87
   W.findungsstörungen 107
   W.gebrauch 89
   W.schatz 89, 105
   W.(sinn)verständnis 87, 100
Zittern 97
Zuckungen 97